Jeunesse

LE MESSAGER
D'ATHÈNES

À Fabrice
À Damien

DU MÊME AUTEUR
dans Le Livre de Poche Jeunesse

L'Arlequin de Venise
Le chevalier au bouclier vert
Le cavalier de Bagdad
Les pilleurs de sarcophages
Le serment des catacombes
L'Aigle de Mexico

ODILE WEULERSSE

LE MESSAGER
D'ATHÈNES

Illustrations
d'Yves Beaujard

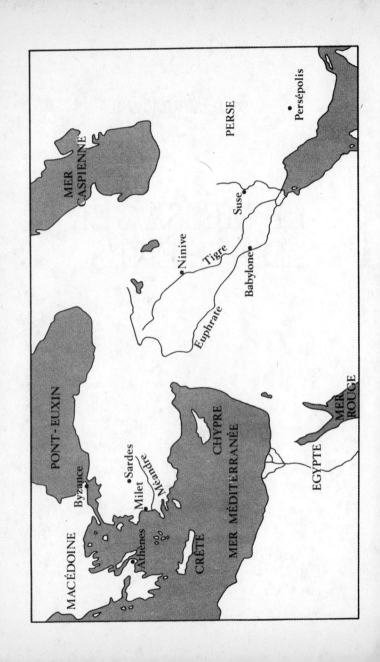

Au début du Ve siècle avant Jésus-Christ, certaines cités de Grèce connaissent un régime politique nouveau : la démocratie. Des hommes libres et égaux se réunissent régulièrement en assemblée pour voter des lois. Au sein de cette Assemblée, les citoyens élisent, ou tirent au sort, les responsables qui assurent, pour une durée limitée, le pouvoir exécutif et militaire.

Toutefois, cette liberté est doublement menacée. À l'intérieur, par l'ambition d'hommes qui cherchent à devenir des tyrans en prenant le pouvoir sans respecter les lois. À l'extérieur, par Darius, le Grand Roi des Perses, qui ne cesse d'étendre les frontières de son empire par des conquêtes militaires.

Dans la cité des Athéniens, toujours prompte à s'inquiéter de ce qui risque d'entraver la liberté, se répand une nouvelle...

1

Un combat déloyal

« Timoklès ! Attends-moi ! »

Elpénor, dans l'embrasure de la porte, baisse avec découragement la lanterne qu'il tient à la main. Dans la rue tortueuse et encore sombre du quartier du Céramique, un garçon, en tunique, court d'un pas rapide et léger.

« Timoklès ! Attends-moi ! » répète le vieil esclave.

Le garçon se retourne à peine pour répondre :

« Retrouve-moi au gymnase ! »

Elpénor referme soigneusement la porte de la maison d'Oloros et bougonne :

« Misère de misère ! À son âge, se promener seul dans Athènes ! »

Elpénor est le pédagogue de Timoklès, le fils d'Oloros. Il est responsable de son éducation. Pour le rejoindre, il se dirige vers la colline des forgerons derrière laquelle s'étend l'Agora, la place publique de la cité. Sur le ciel blanchissant de l'aube, les cyprès dressent leurs silhouettes noires, tandis que, sur la butte, les premiers feux des forges jaillissent au son du hautbois.

Soudain, Elpénor frissonne. Il vient d'apercevoir, au milieu de l'étroite ruelle de terre battue, une belette qui se promène dans la rigole des eaux usées.

« Qu'Athéna l'emporte », murmure-t-il, inquiet de ce mauvais présage.

Et, malgré ses jambes alourdies par l'âge, il se hâte pour rejoindre Timoklès.

Le garçon est déjà parvenu sur l'Agora où règne une grande animation. Les paysans déchargent des olives, des oignons, des gousses d'ail, des amphores de vin. Les pêcheurs apportent des sardines et des anchois. Les commerçants ouvrent leurs baraques de bois qui s'entassent entre les temples et les édifices publics. Des femmes viennent remplir leurs cruches à la fontaine, tandis que les enfants, conduits par leurs pédagogues, se dirigent vers les écoles ou vers la palestre pour le cours de gymnastique. Seuls, les sans-logis, qui dorment sous les platanes, étirent encore nonchalamment leurs bras dans l'intense activité matinale.

Au milieu de cette turbulence, Hyperbolos, un petit homme rond au gros ventre, vêtu d'un somptueux manteau rouge, circule d'un groupe à l'autre pour répandre une importante nouvelle. Dès qu'il voit apparaître Timoklès, il se précipite vers lui dans une grande excitation.

« Fils d'Oloros, sais-tu la nouvelle ? »

Le garçon rit en déclarant :

« Je vais aujourd'hui gagner le pentathlon au concours des éphèbes.

— J'ai une nouvelle autrement plus importante, reprend Hyperbolos.

— Rien n'est plus important que l'honneur et la gloire », répond fièrement Timoklès.

Et, sans prêter davantage attention à son interlocuteur, Timoklès s'amuse à sauter au-dessus des paniers de légumes et des jarres d'huile d'olive, sous les interpellations joyeuses des marchands.

« Tu es un garçon arrogant et effronté ! s'écrie l'homme au manteau rouge.

— Et toi, tu ferais mieux d'aller au gymnase pour réduire ton ventre. Bientôt, il va t'entraîner par terre ! »

Timoklès reprend sa course vers l'Acropole. Hyperbolos, outré, se tourne vers les marchands :

« Avez-vous déjà vu pire insolence ? J'en ai des palpitations.

— Il a un si beau visage, remarque d'un ton rêveur une vendeuse de galettes.

— C'est un garçon grossier, impertinent et stupide », reprend Hyperbolos avec humeur.

Un barbier se mêle à la conversation.

« Qu'allez-vous chercher chicane à ce petit ? Il s'entraîne à la course. Vous serez tous contents s'il est vainqueur aux prochains jeux d'Olympie. Ce sont les athlètes de Sparte qui ont gagné les trois derniers. »

Une parfumeuse intervient à son tour et s'adresse à Hyperbolos :

« Tu veux que je te dise la vérité ? La vérité est que les Spartiates s'entraînent sérieusement au gymnase. Tandis que vous, vous bavardez ici toute la journée pour tenir des propos sans queue ni tête. »

Hyperbolos, indifférent à ces commentaires sportifs, persiste à s'indigner de la conduite peu respectueuse de Timoklès. Dissimulant son ventre sous le pli de son grand manteau, il interpelle la foule :

« La vérité, c'est moi qui vais vous la dire. C'est qu'il n'y a plus de bornes à l'orgueil des grandes familles. Et tout particulièrement à celui de la famille d'Oloros.

— Tu as raison, Hyperbolos, dit un poissonnier. Oloros menace la démocratie. Nous sommes tous égaux et il se croit le premier.

— Il veut devenir un tyran ! ajoute un coiffeur.

— Sottise, remarque la parfumeuse.

— Tais-toi, femme. Tu n'as pas le droit de voter. »

Puis, voyant déboucher sur la place le vieil esclave essoufflé, le coiffeur s'écrie :

« Elpénor, tu n'y vois donc plus que tu gardes ta lanterne allumée quand le jour se lève ? »

La foule se tourne vers l'esclave, qui, surpris et gêné par l'intérêt qu'on lui porte, souffle maladroitement sur la flamme.

Hyperbolos s'approche de lui avec hauteur :

« Sais-tu, Elpénor, que tu es un pédagogue lamentable ?

— Un malheur est-il arrivé ? Je viens de rencontrer une belette.

— Pas un malheur, un cratère à malheurs, insiste Hyperbolos d'une voix emphatique. J'ai à t'annoncer une terrible nouvelle. Je voulais l'apprendre à Timoklès, mais cet effronté, cet insolent, ce grossier fils d'Oloros...

— Au nom de Zeus, apprends-moi ce que tu veux me dire », demande Elpénor.

Hyperbolos le dévisage un moment puis secoue la tête avec compassion.

« Ce que j'ai à te dire va te faire gémir longtemps.

— Mais parle », supplie Elpénor.

À ce moment-là, Hyperbolos remarque un homme portant un chapeau, certainement un étranger, qui s'avance sur l'Agora. Dédaignant le vieil esclave, il se précipite vers le nouveau venu :

« Salut, étranger. Quelle nouvelle apportes-tu ? »

Elpénor soupire et lève les yeux vers l'Acropole, qui surplombe l'Agora de ses rochers de granit blanc sur lesquels se dresse le sanctuaire d'Athéna. Mais il n'a pas de temps à perdre pour contempler le fronton peint du temple de la déesse qui émerge au-dessus des murailles sacrées. Il doit vite apporter au gymnase public, de l'autre côté de l'Acropole, derrière les remparts de la ville, la poussière et l'huile de Timoklès.

*
* *

L'aurore teinte le ciel d'un reflet rose lorsque Timoklès arrive au gymnase. Autour des garçons de quinze à dix-huit ans qui doivent concourir, se pressent des amis, des curieux, des bavards qui viennent pour admirer leur favori ou pour discuter sous les portiques et dans la salle des bains. Les plus jeunes portent une tunique courte serrée à la ceinture, les plus âgés un grand rectangle de couleur drapé négligemment sur le corps et attaché sur une épaule. Beaucoup portent un bandeau dans les cheveux.

Malgré la gaieté générale, Kallias, l'air soucieux, marche nerveusement sous les colonnes du portique d'entrée.

« Tu as appris la nouvelle ? » demande-t-il à Timoklès qui arrive de son pas léger.

Timoklès rit.

« Tu me la diras plus tard. Si je gagne aux jeux du gymnase, je serai un favori des dieux. Et si je suis un favori des dieux, toutes les nouvelles seront bonnes. »

Kallias lui sourit avec une tendresse inquiète.

« Après tout, se dit-il, il l'apprendra bien assez tôt. »

Et il rejoint le garçon dans la palestre, la cour carrée où l'on s'exerce à la lutte et à la gymnastique.

Le contraste entre les deux amis est saisissant. Timoklès a quinze ans, le corps harmonieux et souple, le visage doucement arrondi autour d'un nez bien droit et de larges yeux couleur d'émeraude. De longues boucles noires tombent sur ses épaules. Kallias est plus âgé. Il a vingt-deux ans, il est petit, d'un corps noueux et délicat, le visage triangulaire à moitié mangé par une barbe négligée, les cheveux courts retombant sur des yeux pétillants de malice. Comme son père vient de Syracuse, Kallias n'est pas un citoyen d'Athènes, mais un métèque.

Les deux amis traversent la cour de la palestre où des esclaves retournent le sol pour l'amollir avant de le recouvrir de sable. Dans la salle des vestiaires, Cimon, son principal rival, un garçon de seize ans, fort et corpulent, s'adresse à Timoklès avec ironie :

« Le bruit court que tu veux gagner le pentathlon ?

— Le sort est dans la main des dieux, répond Timoklès avec une apparente indifférence.

— Tu es bien modeste pour une fois », constate Cimon.

Timoklès sourit sans répondre, se met rapidement nu et commence à lancer des coups de pied en l'air pour s'assouplir les muscles.

« Veux-tu que j'aille t'acheter de l'huile et de la poussière aux magasins ? demande Kallias.

— Non, répond Timoklès. Ici ils ne vendent que de la poussière de poterie qui fait transpirer. Elpénor doit m'apporter la mienne.

— Tu as une poussière aristocratique ? demande Cimon d'un air narquois.

— De la poussière de terre jaune, précise Timoklès en sautillant.

— Quelle coquetterie ! »

Kallias vole au secours de son ami, heureux d'exercer ses talents d'orateur.

« Ton esprit, Cimon, est celui d'un rustre qui ne sait pas apprécier la beauté. Crois-tu qu'il soit

agréable aux spectateurs du gymnase de te regarder, toi qui es toujours couvert de poussière de boue ? Tu ressembles, quand tu transpires, à un sanglier malodorant sortant de la vase. »

Cimon lui jette un regard de travers.

« Méfie-toi des sangliers », répond-il avec humeur.

Dès qu'Elpénor apporte l'huile odorante et la poussière de terre jaune, Timoklès se rend dans la salle de massage. Là, un esclave le frictionne énergiquement, puis enduit son corps d'huile avant d'étaler la belle poussière ocre qui fait

briller la peau. Enfin Timoklès va chercher son disque de bronze et le frotte longuement de sable afin qu'il ne glisse pas entre ses doigts.

*
* *

Le pentathlon comprend cinq épreuves : la course, le lancement du javelot, le lancement du disque, le saut en longueur et la lutte. Il faut gagner au moins trois épreuves pour être vainqueur. Le joueur de hautbois annonce le commencement des jeux par une musique enjouée et rythmée. Chacun se dirige vers le stade où se déroulent les trois premières compétitions. L'assistance s'assied sur les pentes inclinées qui entourent la piste. Elle murmure d'admiration lorsque Timoklès apparaît, aussi beau que le dieu Dionysos, avec ses longues boucles noires qui contrastent avec la peau brillante que dorent les premiers rayons du soleil.

Le maître du gymnase, dans son grand manteau pourpre, vérifie la position de départ des coureurs. Il tape de son long bâton fourchu ceux qui essaient de tricher en prenant un pied d'avance. L'épreuve de la course n'est une surprise pour personne. Tout le monde sait à Athènes que Timoklès est le meilleur coureur de la cité. Il gagne aisément la course du stade et du double stade. Il gagne aussi facilement le lancement du javelot, un long bâton sans pointe, mince et léger. Mais c'est Cimon qui est vainqueur à l'épreuve du disque. Le sourire en coin, Cimon s'approche de son rival.

« La faveur des dieux t'a quitté, lui jette-t-il avec ironie.

— Qu'en sais-tu ?

— C'est le dieu des gymnases qui me l'a soufflé à l'oreille. »

Timoklès jette un regard furieux au dieu Hermès dont la statue trône dans le stade.

Les deux dernières épreuves, le saut et la lutte, se déroulent dans la palestre. Le soleil est maintenant haut dans le ciel, et les spectateurs se massent à l'ombre des portiques. La compétition du saut en longueur commence.

Enfin arrive le tour de Cimon. Il prend les haltères de pierre, se met sur la ligne de départ, court vite en balançant les bras et saute pour retomber trente pieds plus loin. Un esclave met aussitôt un piquet en terre pour marquer la place. Le maître du gymnase a un sourire admiratif : Cimon devance largement les précédents concurrents. Aussitôt après, Timoklès, tendu et concentré, tourne à son tour les haltères, court, se détend et dépasse d'un demi-pied le saut de Cimon. Une flamme de triomphe brûle dans sa poitrine lorsque la voix du maître du gymnase retentit douloureusement.

« Ton pied droit a glissé. Tu es disqualifié. »

Timoklès constate à son tour la longue empreinte que son pied droit a imprimée dans le sable. Un nuage de détresse passe dans ses yeux, et, de dépit, il jette ses haltères sur le sol.

Cimon s'approche de lui.

« On ne t'entend plus, Timoklès ? As-tu perdu ton insolence ?

— Je gagnerai l'épreuve de la lutte, répond le garçon d'un air sombre.

— Et moi, je te rirai au nez quand tu seras à terre », rétorque Cimon.

Le ton monte entre les deux éphèbes rivaux.

« Je te ferai mordre le sable avec tes dents, dit Timoklès.

— Je t'écraserai comme un chien, reprend Cimon.

— Je t'assommerai comme un gueux !

— Tu pousseras des cris de douleur !

— C'est moi qui te ferai pleurer !

— Au nom des dieux, taisez-vous », crie le maître en les frappant de son bâton.

Puis il tire les fèves dans une urne pour choisir les couples de combattants. On procède par élimination : les vainqueurs de chaque couple de lutteurs s'affrontent. À la fin, il ne reste plus que Timoklès et Cimon.

Il fait très chaud dans la palestre. Le hautbois lance ses notes claires. L'assistance, heureuse d'une compétition si difficilement gagnée, garde un silence impatient. Les deux éphèbes sont maintenant l'un en face de l'autre comme deux coqs en colère.

La première manche commence. Les corps s'affrontent longtemps sans réussir à faire toucher le sol à l'adversaire. Soudain, Timoklès sent sa jambe gauche déraper, perd l'équilibre et tombe sur le sol.

« Tricheur ! s'exclame-t-il. C'est interdit de faire des prises de jambe.

— Ce n'était pas une prise de jambe, c'était un croc-en-jambe », répond Cimon.

La foule murmure, partagée sur l'interprétation de la lutte. Mais le maître tranche avec autorité :

« C'était un croc-en-jambe. Cimon a gagné la première manche. »

Certains s'indignent et grognent contre l'arbitrage du maître du gymnase.

Timoklès gagne la deuxième manche. Au seuil de la victoire, les deux éphèbes se font face une troisième fois, tête baissée, bras étendus en avant. La lutte dure longtemps sans qu'aucun adversaire montre un signe de faiblesse.

Enfin Timoklès oblige Cimon à mettre un

genou en terre. La victoire lui paraît maintenant certaine. Il ne lui reste plus qu'à faire perdre l'équilibre à son rival pour qu'il touche le sol, soit avec son dos, soit avec l'épaule. Soudain, Cimon lui crie :

« Attention, Timoklès, ton père vient vers toi. »

Timoklès se retourne. Il n'y a personne. Mais en un instant Cimon s'est redressé. Il passe maintenant son bras droit derrière les reins de son adversaire, le renverse violemment en arrière et le plaque sur le sol. Les applaudissements crépitent sous les portiques.

*
* *

Dans la salle des bains, chacun félicite Cimon. Timoklès, enfermé dans sa honte et sa colère, racle en silence son corps avec la strigile, sorte de racloir en bronze qui sert à enlever la poussière et la sueur. Kallias s'approche de lui avec douceur.

« Pourquoi t'es-tu retourné au dernier moment ?

— Il m'a dit : "Attention, ton père vient vers

toi" C'est une victoire déloyale », conclut le garçon avec mépris.

Kallias a un petit sifflement admiratif.

« Cimon est plus malin que je ne le pensais.

— Tu l'admires pour avoir triché ? fait Timoklès stupéfait.

— La ruse est utile dans la vie. Il ne faut pas la négliger.

— C'est indigne. C'est contre l'honneur. Je ne veux plus d'un ami qui s'extasie sur une ruse malhonnête.

— Ne te fâche pas, Timoklès, répond Kallias. Pour te faire plaisir, je vais faire un discours contre Cimon. »

Timoklès hausse les épaules.

« Cela ne sert à rien. J'ai perdu. C'est la seule chose qui compte. »

Mais Kallias, qui ne résiste jamais au plaisir de parler, se met debout sur un trépied et déclame de sa belle voix chantante :

« Éphèbes d'Athènes, je vois la stupeur et l'émoi parcourir vos esprits étonnés. La victoire de Cimon vous paraît insensée, et vous avez raison. Cette victoire n'est due ni à la force, ni au courage de ce sanglier malodorant, mais à la ruse aux mille tours. La ruse de Cimon, quand vous la connaîtrez, vous laissera pantois et indignés... »

Sans écouter davantage, Timoklès, humilié et furieux, sort de la palestre. À la porte, Elpénor l'interroge du regard.

« Je ne suis pas un favori des dieux, avoue le garçon tristement.

— J'ai vu une belette ce matin. C'était un mauvais présage », constate Elpénor avec résignation.

*
* *

Dans la maison d'Oloros, Chrysilla, par la lucarne du gynécée, l'appartement des femmes, guette du premier étage le retour de Timoklès. En attendant son frère, elle commente pour sa nourrice les événements de la ruelle.

« On chasse Hermippe de sa maison. Il n'a certainement pas payé son loyer.

— Ne dis pas de sottises, reproche la nourrice qui met en route son métier à tisser.

— Je t'assure qu'on enlève les tuiles de son toit et qu'on fait murer son puits. »

Chrysilla a treize ans. De deux ans plus jeune

que son frère, elle lui ressemble étrangement. Elle a les mêmes grands yeux couleur d'émeraude, les mêmes boucles noires, quoique l'expression de son visage soit plus mobile et malicieuse.

De son regard curieux, elle observe les potiers, les fabricants de sandales, les femmes qui se promènent accompagnées de leurs esclaves. Elle renouvelle ses commentaires.

« La femme de l'armurier fait la fière avec sa bague. Il n'y a pas de quoi. Elle ne sait même pas relever gracieusement sa robe sur ses chevilles.

— Cesse de parler comme une vipère, s'exclame la nourrice. Et ne reste pas à la fenêtre : tu te conduis comme une courtisane et pas comme une jeune fille de famille.

— Je m'ennuie, dit Chrysilla d'un air buté.

— Viens tisser ton manteau qui n'avance pas.

— J'ai des crampes dans les jambes à rester sans bouger. Je voudrais courir comme Timoklès.

— Plutôt mourir que d'entendre de pareilles sornettes », grommelle la nourrice.

Chrysilla se retourne avec humeur.

« Quand j'étais petite ourse au temple d'Artémis, c'est moi qui courais le plus vite.

— Tu n'es plus une petite fille. Bientôt, tu seras choisie pour tisser le péplos d'Athéna.

— Jamais, répond Chrysilla les larmes aux yeux. Plutôt mourir que de rester enfermée un an dans l'Acropole.

— Descends tout de suite, ordonne la nourrice, exaspérée par les propos de Chrysilla. Descends tout de suite ou je mets une couverture devant la fenêtre. »

Chrysilla saute du trépied sur lequel elle était juchée et affirme avec gravité :

« Il a perdu. Timoklès a perdu.

— Pourquoi dis-tu cela, méchante fille ?

— Il a l'air sombre et furieux », précise Chrysilla d'un ton pathétique.

Et joyeusement elle dévale l'étroit escalier de bois vers le rez-de-chaussée.

« Qui a gagné ? demande-t-elle à Timoklès dès qu'il entre dans la maison.

— Cimon.

— Cimon ! Ce lourdaud qui ressemble à un bœuf ! »

Sans l'écouter, Timoklès traverse la petite cour où brûle l'autel du foyer. Sur la droite se tient la salle des banquets, sur la gauche une petite pièce où sont entassées toutes les provisions. Il prend une galette de froment, un poisson séché, deux olives et se met à grignoter.

« Mais raconte, Timoklès, insiste Chrysilla brûlante de curiosité. Je t'ai attendu toute la journée.

— Cimon a gagné, c'est tout », répète-t-il, trop fier pour expliquer sa défaite.

Timoklès se croit obligé d'afficher pour Chrysilla la légère condescendance que mérite une fille destinée à tisser et à s'occuper de ses enfants. Pourtant, dans le fond de son cœur, il aime sa gaieté, sa vitalité, ses bavardages. Quand il connaît de soudaines tristesses, le bourdonnement d'abeille de Chrysilla le tire de sa mélancolie. Parfois, il pense qu'elle mériterait d'être un garçon.

« C'est toi qui racontes ! dit-il.

— Bon, soupire Chrysilla avec majesté. Quoique tu sois une compagnie aussi agréable qu'une branche morte d'olivier, je veux bien te parler. Hermippe est chassé de sa maison. Pausanias ne met ses sandales qu'à partir de midi pour ne pas les user, tellement il est avare. L'inspecteur a donné une amende au chaudronnier car il vend trop cher ses marmites. Notre mère ne quitte plus sa chambre car on lui a mal teint les cheveux. »

Timoklès sourit à l'évocation de ce fréquent drame de gynécée.

« Ils sont trop rouges ou pas assez rouges cette fois-ci ?

— Ils sont parfaits.

— Alors pourquoi s'enferme-t-elle ? »

Chrysilla attend un instant avant d'annoncer avec gravité :

« Parce qu'elle ne veut plus habiter ici, dans cette ruelle populaire. Elle veut déménager dans le quartier de Scambonidaï où sont toutes ses amies.

— Et alors ?

— Alors notre mère a dit à notre père : "Cette maison est une maison de gueux."

— Qu'a-t-il répondu ? demande Timoklès amusé par la situation.

— Père a dit : "Je n'ai pas le temps de m'intéresser à des caprices de femme. Je viens d'apprendre une nouvelle trop grave". »

Timoklès sursaute. Au matin, il n'a écouté ni Hyberbolos ni Kallias, tant il était stupidement certain de sa victoire. Maintenant il se sent rem-

pli de confusion et la nouvelle lui paraît redoutable.

« Que dit cette nouvelle ?

— Je n'en sais rien, dit Chrysilla. Père m'a
chassée de leur chambre. Mais où vas-tu ? »

Timoklès a déjà traversé la cour. Il pousse brutalement la porte d'entrée qui, en s'ouvrant sur
la ruelle, heurte violemment un passant.

« Tu ne peux pas frapper avant de sortir ? dit
l'homme en se frottant le front.

— Je suis très pressé. Je dois apprendre la
nouvelle », lui crie Timoklès en s'éloignant.

2

Oloros

En courant vers l'Agora, Timoklès sent confusément qu'un danger plane sur son père. Il l'a toujours cru invulnérable, à cause de son autorité, de sa prestance, de sa grande intelligence. Et voilà que, tout d'un coup, cette puissance paternelle, si sécurisante, lui paraît menacée. Mais que peut-il arriver à un prytane qui, en tant que conseiller, représenter le peuple entre les réunions de l'Assemblée.

Sur l'Agora, Timoklès se dépêche de rejoindre Elpénor dans la foule.

« Dis-moi vite la nouvelle », demande-t-il.

Elpénor le regarde avec tristesse.

« Mon pauvre petit, ton père risque d'être banni de la cité. »

Timoklès le regarde avec stupeur. Une pareille catastrophe lui paraît incroyable.

« Mais pourquoi ? Comment ? »

Pour toute réponse, Elpénor lui montre du doigt un héraut qui se juche sur un trépied. Autour de lui, l'assistance se regroupe et se tait pour écouter le message des chefs de la cité.

« Athéniens, le conseil des prytanes, réuni dans la rotonde nommée la tholos, a décidé de convoquer l'Assemblée des citoyens. Elle se réunira sur la colline de la Pnyx pour voter pour ou contre l'ostracisme d'Oloros ou de Thémistocle. Venez nombreux. Abandonnez vos échoppes, vos ateliers, vos charrues, vos moutons, vos bateaux, car la liberté est en danger. »

À peine a-t-il cessé de parler que la foule s'agite en paroles confuses. Timoklès se sent complètement désorienté.

« Mais pourquoi veulent-ils bannir mon père ? demande-t-il à Elpénor.

— Zeus accumule les nuages sur nos têtes, murmure Elpénor, les larmes aux yeux.

— Mais explique-moi !

— Je ne peux pas te dire, mon petit. Je ne peux pas », balbutie Elpénor en baissant la tête.

Pour comprendre une décision aussi stupéfiante, Timoklès part à la recherche de Kallias. En se faufilant entre les groupes qui discutent avec véhémence, il entend partout résonner le nom d'Oloros qui sonne douloureusement dans son cœur.

C'est alors qu'apparaît, descendant sur l'Agora par la voie des Panathénées, un homme splendidement vêtu d'un beau manteau de pourpre et d'une tunique de lin fin attachée par une énorme broche d'or. Ses boucles sont admirablement disposées sous un bandeau d'un tissu très brillant, sans doute de la soie. Derrière cet homme considérable, une dizaine de jeunes gens marchent avec déférence. Parmi eux se tient Kallias. Timoklès lui fait un signe de la main. Mais Kallias n'ose pas le rejoindre car il ne doit pas marcher devant le maître.

Hyperbolos s'avance vers l'étranger.

« Sois le bienvenu, Dicéopolis, dans la cité des Athéniens. Depuis longtemps, nous avons entendu parler de la subtilité de tes raisonnements et de tes victoires dans les discussions. »

La foule, toujours prête à oublier ses soucis et à changer de préoccupation, entoure le célèbre sophiste et l'apostrophe gaiement :

« Et toi, l'as des tournois de la langue, c'est vrai que tu peux tout démontrer avec tes discours ?

— Il est vrai que je confonds mes adversaires par mes discours terrassants.

— Tu as toujours raison quand tu parles ?

— Je suis le maître du discours efficace.

— Tu ne peux quand même pas démontrer que la tyrannie est le meilleur régime politique ? remarque un marchand en riant.

— Si, je le peux.

— Tu le peux maintenant ? demande l'homme incrédule.

— Maintenant, répond le sophiste. À condition que tu me paies. »

Le marchand hésite un moment, puis prend dans sa bouche, qui sert habituellement de porte-monnaie, une drachme qu'il tend au sophiste.

Certains sont indignés par l'impudence d'une telle demande. Un paysan tend deux drachmes en disant :

« Moi je te paie pour dire que la démocratie est le seul régime où les hommes soient libres. »

Le sophiste sourit avec condescendance et déclare :

« Je défendrai les deux points de vue. Le premier d'abord, l'autre ensuite, dans l'ordre où vous me les avez proposés. »

Pendant que Dicéopolis attend que la foule, étonnée et curieuse, se dispose en cercle autour de lui, Timoklès s'approche discrètement de Kallias.

« C'est un charlatan. Il vend ses discours contre de l'argent.

— C'est un maître admirable. Il connaît l'art de persuader.

— Il ne dit que mensonges et faussetés.

— Tu ne comprends rien, dit Kallias en souriant. C'est par l'habileté de la parole qu'on gouverne les hommes. Laisse-moi l'écouter.

— C'est un charlatan, répète Timoklès, buté. Explique-moi plutôt ce qui se passe à la tholos et pourquoi on vote l'ostracisme. »

Kallias hésite un moment entre sa déférence pour le maître et sa tendresse pour son ami. Mais le voyant si triste et inquiet il l'emmène à l'écart et lui parle avec douceur :

« Beaucoup de prytanes pensent que ton père

et Thémistocle ont trop de puissance, trop de richesses, trop de partisans.

— Et alors ?

— Alors ils craignent que l'un d'entre eux prenne le pouvoir sans être élu et devienne un tyran. C'est pourquoi on votera à l'Assemblée. »

Timoklès reste abasourdi par la confirmation de ses craintes.

« Ils sont idiots. Mon père a toujours défendu la démocratie.

— Je sais, dit Kallias tristement. Mais dans le passé, beaucoup d'aristocrates sont devenus des tyrans. Les Athéniens préfèrent être prudents. Ils ne veulent plus prendre le risque de perdre la liberté.

— S'ils décident de voter l'ostracisme et qu'ils le votent contre mon père, il sera banni pendant combien de temps ?

— Dix ans. Mais ne t'inquiète pas. Ton père a beaucoup d'amis à l'Assemblée. On s'apercevra que c'est un soupçon injustifié. »

Puis Kallias passe doucement sa main sur les boucles de son ami et lui dit avec regret :

« Si je n'étais pas métèque et si je pouvais voter, tu peux être certain que je défendrais Oloros. »

La colère et le désespoir se partagent le cœur de Timoklès, qui déclare :

« Si on bannit mon père, je ne resterai pas dans cette cité stupide qui écoute les sophistes, les menteurs, les charlatans, les tricheurs au gymnase, les fourbes, les traîtres... »

Et, faute de mots supplémentaires, il s'enfuit de l'Agora pour cacher les larmes qui lui montent aux yeux.

*
* *

Après les passions du jour, le silence est retombé sur la ville. La lune, toute ronde, éclaire les terrasses où les hommes se sont endormis dans leurs couvertures, car les nuits sont fraîches au printemps. Seuls quelques ivrognes, rentrant d'un banquet tardif, répondent aux ululements des chouettes d'Athènes par des chansons maladroites.

Sur le toit de la maison d'Oloros, une tuile se relève doucement. Une petite main blanche, prudente et experte, dégage rapidement un orifice dans la toiture. Bientôt apparaît la tête de Chrysilla, qui, ravie, sourit aux étoiles. Avec aisance et rapidité, elle se dresse sur le toit, frêle silhouette blanche qui tient à la main une sombre peau d'ours.

Après avoir scruté prudemment les environs, elle saute dans la ruelle. Puis, gracieuse comme une gazelle, elle s'échappe de la ville vers la colline verdoyante des monts de l'Hymette. Chrysilla est heureuse. Elle sent ses longues jambes agiles fouler légèrement le sol. Parfois, elle s'arrête pour respirer l'odeur des pins, ou celle des violettes sorties de terre il y a quelques jours seulement.

Elle arrive un peu essoufflée sur les collines de l'Hymette où se cultive le miel. Comme chaque fois, elle se livre à son jeu favori qui consiste à ramasser des petits cailloux qu'elle lance sur la première ruche rencontrée. Les abeilles, cherchant la cause du danger, tournent autour de leur demeure, surprises et affolées, dans un tourbillon effréné et mélodieux. Chrysilla sourit de sa malice et repart en courant.

Au milieu d'une vaste clairière, entourée de hêtres et de châtaigniers aux fraîches feuilles vert tendre, elle lève ses deux mains vers le ciel.

« O Artémis, écoute ma prière. Fais que je ne sois jamais enfermée sur l'Acropole à tisser le péplos d'Athéna. Je veux continuer à courir comme mon frère. D'ailleurs, je cours aussi vite que lui. Enfin presque. Enfin presque aussi vite et presque aussi longtemps. »

Renonçant à faire devant la déesse des comparaisons trop inexactes, Chrysilla jette sur ses épaules la peau de bête. Elle entame une bizarre danse animale, celle qu'elle pratiquait à Brauron lorsqu'elle était petite ourse au temple d'Artémis. Des lapins, des lièvres, des oiseaux s'arrêtent pour contempler cette agitation inhabituelle dans la forêt endormie.

Chrysilla se tourne à nouveau vers le ciel.

« Artémis, j'ai bien dansé pour toi. Maintenant, protège mon père pour qu'il ne soit pas ostracisé. »

Et elle éclate brusquement en sanglots.

Sur l'Agora, à l'aube du jour de la convocation de l'Assemblée, tous discutent avec véhémence avant de se rendre dans l'hémicycle. Les partisans et les ennemis d'Oloros se disputent âprement.

Des orateurs improvisés, debout sur des tréteaux, haranguent la foule.

Pourtant, lorsque Oloros, pareil au vent d'orage, paraît sur l'Agora, le manteau flottant autour de son imposante stature, et le visage empreint d'une fierté prodigieuse, le silence se fait dans l'assistance.

« On dirait Zeus, père des dieux, murmure la parfumeuse

— C'est un tyran, tu veux dire.

— Qui te l'a dit ? rétorque la vendeuse de parfums avec humeur. Hermès serait-il descendu de l'Olympe pour te gratifier de cette nouvelle ?

— Il est d'une famille aristocratique. Ces gens-là veulent le pouvoir sans être élus. »

Un autre homme se mêle à la conversation.

« Il dit trop de mal des Perses. Un jour cela nous portera malheur. »

Timoklès qui marche dignement à côté de son père, jette sur la foule des regards furieux. En passant près d'une marchande, il l'entend expliquer à son enfant :

« Regarde bien, mon petit, c'est un tyran qui passe. »

Timoklès, empourpré de colère, fait une brusque volte-face.

« Retire aussitôt tes paroles, femme, ou, par Athéna, je te fais une prise qui t'allongera dans tes olives.

— Au secours ! s'écrie la marchande. Le fils du tyran m'insulte !

— Je vais te casser une amphore sur la tête pour te faire taire.

— Timoklès ! ordonne Oloros d'une voix puissante, cesse de proférer des sottises. »

Le garçon, vexé, baisse les yeux et rejoint son père.

« Je ne supporte pas cette haine contre toi, explique-t-il pour s'excuser.

— Tu parles sans réfléchir. La haine n'est pas à craindre. Elle est le sort de ceux qui commandent aux autres. C'est une ambition noble.

— Mais s'ils votent contre toi et te bannissent de la cité ?

— C'est un accident sans importance dans l'histoire d'Athènes. Seules les lois importent, mon fils, pas les hommes. Rien n'est au-dessus des lois. Elles sont l'honneur des cités grecques. Sinon nous serions comme ces barbares perses qui dépendent des caprices d'un roi.

— Toi, tu dépends bien de citoyens bornés, qui un jour t'adorent, un autre te détestent !

— C'est parce qu'ils sont libres qu'ils peuvent changer d'opinion. La liberté est le bien le plus précieux. »

Oloros réfléchit en silence puis ajoute :

« Le peuple est versatile, surtout quand un danger le menace. »

Timoklès lève vers son père un regard interrogateur. Oloros s'explique :

« Le vrai danger pour notre cité n'est pas que je devienne un tyran. Ce sont les Perses. Leur ambition est sans limites. Ils sont en train d'écraser les Grecs d'Asie. Bientôt, ils viendront ici soumettre la Grèce d'Europe.

— Pourquoi ne le dis-tu pas à l'Assemblée ?

— Je l'ai dit et je le redirai. Mais la vérité est difficile à entendre. Seul Thémistocle, dont l'esprit est profond et avisé, se rend vraiment compte du danger. »

Oloros s'arrête de marcher et regarde gravement son fils.

« Si c'est moi qui devais quitter la ville, tu lutteras avec lui, à ma place, pour que la cité des Athéniens reste celle de la liberté. »

Puis, à grands pas, Oloros se dirige vers l'atelier d'un sculpteur. Il apprécie rapidement les différentes statues et montre du doigt celle d'une joyeuse jeune fille, qui relève délicatement sa tunique d'une main et tend un oiseau de l'autre.

« Je t'achète cette statue, dit-il au sculpteur. Tu écriras sur le socle : "Pour la gloire d'Athènes, de la part d'Oloros, fils d'Oloros, du dème du Céramique." Et tu la feras porter sur l'Acropole en offrande à Athéna. »

Et, se tournant vers Timoklès, il ajoute :

« Maintenant laisse-moi seul, et va à la palestre. »

*
* *

Timoklès est trop bouleversé pour se rendre au gymnase. Aussi reste-t-il sur l'Agora, appuyé contre un platane, à regarder les hommes qui vont décider de dix ans de la vie de son père. Ils n'ont pas l'air pressé. Les paysans, qui se sont déplacés des dèmes ruraux de l'Attique, profitent de la capitale. Ils font leurs achats et admirent les nouveaux produits de luxe : bottines corinthiennes, ceintures de soie, bijoux d'or de Perse. Les marchands, heureux de cet afflux de clientèle, se hâtent de vendre leurs produits avant d'aller à l'Assemblée. D'autres continuent à bavarder gaiement. Seuls, quelques citoyens consciencieux vont se purifier les mains et le visage à la fontaine, avant d'accomplir un aussi noble devoir.

Timoklès est indigné de l'insouciance des

Athéniens. Il voudrait monter sur un trépied et les apostropher brutalement, mais il craint d'être ridicule. N'est pas orateur qui veut. Il doit donc attendre que les archers scythes, coiffés de rutilants casques verts au long protège-nuque, viennent remédier à cette désinvolture civique. À l'aide d'une corde enduite de peinture fraîche et rouge, ils rabattent les hommes vers l'Assemblée. Les citoyens, qui craignent de payer une amende si leur péplum est taché de rouge, se hâtent vers la Pnyx. Certains emportent des provisions de figues, de galettes et d'olives, pour se nourrir pendant les discours qui risquent d'être longs.

*
* *

Pour suivre de loin les débats, qui sont interdits aux enfants, aux femmes, aux métèques et aux esclaves, Timoklès et Elpénor montent sur l'Acropole, le point le plus élevé de la ville. La colline de la Pnyx se trouve en face de l'entrée du sanctuaire d'où on peut voir, sinon entendre, le déroulement de l'Assemblée.

Les gradins de l'hémicycle sont noirs de monde. Des prêtres, vêtus de blanc s'approchent de l'autel de Zeus et jettent dans la flamme des poils de cochon et des grains d'orge. Puis ils saisissent le cochon, lèvent sa tête vers le ciel et lui tranchent la gorge. Le sang est aussitôt recueilli dans un vase. On découpe rapidement les cuisses pour les faire brûler sur l'autel. Et pendant que l'odeur de la viande rôtie monte vers les dieux pour leur être agréable, un prêtre trace avec le sang de la victime un cercle sacré autour de l'Assemblée.

Un homme pose sur sa tête la couronne de myrte qui met sous la protection divine et se dirige vers la tribune aux harangues.

« Tu reconnais celui qui parle ? demande Timoklès.

— C'est le père de Cimon, le chef des ennemis de ton père.

— Si les dieux protègent la famille de Cimon, je ne les adorerai plus jamais ! s'exclame avec colère Timoklès.

— Malheureux ! Comment oses-tu proférer des paroles contre les dieux ? Ne t'ai-je pas appris que leurs pensées sont impénétrables ? »

Timoklès hausse les épaules. Elpénor est effrayé par l'audace du garçon.

« Va sacrifier immédiatement un gâteau de

miel à Athéna. Et implore sa protection malgré tes insolences. »

Timoklès, obéissant et maussade, se dirige vers l'entrée du sanctuaire. Le vieil esclave lui crie à nouveau :

« N'oublie pas de te purifier en te lavant les mains. Sinon Athéna repoussera avec dégoût ta prière. »

Sans répondre, Timoklès pénètre derrière les murailles sacrées. Il retrouve un peu de calme, dans ce lieu séparé du monde où l'on ne voit que le ciel, les temples et les statues en l'honneur de la fille de Zeus.

Elpénor reste seul à méditer sur le terrible sort qui menace la maison d'Oloros. De gros nuages noirs flottent sur la ville et des gouttes d'eau commencent à tomber comme de grosses larmes.

« Zeus pleut. C'est de mauvais augure », songe le pédagogue.

*
* *

En début d'après-midi, le soleil est revenu sur la colline de la Pnyx. Il fait chaud et l'assistance s'est un peu assoupie pendant les discours. Maintenant, on procède au vote de l'ostracisme. Les bulletins de vote sont des morceaux de céramique, des débris de vase, que l'on garde pour l'Assemblée au lieu de les jeter aux ordures. Chacun écrit sur son tesson de poterie le nom de la personne à ostraciser et le dépose au pied du président de séance.

Oloros, assis au premier rang, regarde avec sérénité le long défilé des Athéniens. Un paysan s'approche de lui, son tesson à la main.

« Je ne sais pas écrire. Peux-tu voter pour moi ? »

Oloros s'empare du morceau de céramique et du pinceau de son interlocuteur.

« Quel nom veux-tu inscrire ? »

— Oloros », dit le paysan.

Le père de Timoklès s'étonne et demande :

« Cet Oloros te paraît-il menacer gravement la démocratie ?

— Oui, répond le paysan avec assurance. Il appartient à une famille aristocratique.

— Quand il a parlé à la tribune, a-t-il dit des paroles insensées ?

— Je ne peux pas te dire. Mes yeux se sont fermés quelque temps à l'heure de la sieste. »

Oloros sourit, puis écrit son propre nom sur le tesson du paysan. Il le lui rend en disant :

« Viens dîner chez moi ce soir, ami. Tu demanderas la maison d'Oloros, fils d'Oloros, dans le quartier du Céramique. Puisque je ne t'ai pas convaincu sous les rayons du soleil, j'espère le faire avec le parfum du vin. »

Le paysan, ébahi, s'enfuit précipitamment.

Peu de temps après, le président de séance déclare l'ostracisme d'Oloros.

*
* *

Dans la maison d'Oloros, Timoklès, plongé dans de ténébreuses pensées, arpente de long en large la petite cour intérieure qui sent le thym, l'oignon grillé et le lard ranci. C'est à peine s'il remarque le va-et-vient des esclaves qui s'affairent pour préparer le banquet du soir. Chrysilla, tout en mâchonnant une feuille de figuier, le surveille du coin de l'œil.

« Qu'as-tu à tourner en rond comme un âne qui divague ?

— Je ne te parle pas. »

Chrysilla, obstinée, insiste :

« Je suis certaine que tu médites un projet effrayant. Tes yeux sont noirs comme le fond d'un puits. »

Timoklès lance à sa sœur un vague sourire complice, et, fatigué de méditer tout seul, l'entraîne vers l'escalier. Tous deux s'assoient sur les marches.

« Je ne veux pas rester à Athènes. Je vais partir avec mon père, annonce-t-il à voix basse.

— Tu ne sais même pas où il va.

— Tu le sais, toi ?

— Oui, répond Chrysilla d'un ton solennel. Il va jusqu'au fleuve Océan.

— Jusqu'au fleuve Océan qui entoure la terre ?

— Il a dit à notre mère : "J'entreprends un très long voyage pour trouver le fleuve que personne n'a jamais rencontré. Celui d'où partent toutes les rivières."

— Tu mens », dit Timoklès, méfiant.

Chrysilla, indifférente à l'insulte, continue son récit :

« Notre mère s'est mise à pleurer. Alors notre père a dit : "Je frapperai d'étonnement les Athéniens, qui, aujourd'hui, m'ont banni pour dix ans."

— Cela ne m'empêche pas de partir avec lui, remarque Timoklès.

— Si. Il veut que tu restes à Athènes pour lutter à sa place contre les Perses le jour venu. Il veut aussi que tu gagnes les jeux à Olympie pour la gloire de notre famille. »

Timoklès ne doute plus de la véracité des propos de sa sœur. Il reste un long moment silencieux. Ses yeux couleur d'émeraude s'emplissent de tristesse, d'espoir, d'incertitude, comme la lumière d'un ciel changeant. Il finit par décréter :

« Ce soir, je trouverai un moyen de convaincre mon père. »

Chrysilla hoche la tête :

« Les dieux seuls pourraient le faire changer d'avis.

— Athéna m'aidera. Je lui ai offert un gâteau de miel et elle m'a souri.

— Mon pauvre frère, tu as rêvé debout sous le soleil ! »

*
* *

Le soir, dans la salle du banquet, de hauts brûle-parfums emplissent l'air d'une odeur agréable. Le sol est recouvert de tapis de laine. Une quinzaine d'hommes, les pieds lavés par les esclaves, sont assis par groupes de deux ou trois sur des divans couverts de coussins. Ils prennent, sur de petites tables rectangulaires, des poissons séchés, des pâtés rôtis dans des feuilles de figuier, des cailles grillées qu'ils mangent avec leurs doigts. Puis ils s'essuient la bouche avec de la mie de galette qu'ils jettent ensuite par terre.

Timoklès, les yeux brillants, pose sur la tête des convives des guirlandes de feuilles.

« Qu'est-ce que tu as, Timoklès ? demande Kallias, surpris par la fébrilité de son ami.

— Ce soir, j'étonnerai mon père », lui confie le garçon à voix basse.

Puis, en fils de la maison, il verse dans un grand cratère d'argent de l'eau et du vin. Quand le mélange est terminé, Oloros remplit une coupe, répand quelques gouttes sur le sol et déclare :

« Dieu Dionysos, toi qui as donné le vin aux hommes pour leur faire supporter leur tourments, chasse de nos cœurs la douleur de ce jour impitoyable. »

Et, levant sa coupe, il salue, les uns après les

autres, tous les invités, faisant un souhait pour chacun d'eux.

La conversation, vive et animée, tourne autour des mystères du fleuve Océan. Subitement, Hermippe fait irruption dans la pièce, les cheveux collants, les pieds noirs de poussière, tenant mal sur ses jambes.

« Je te salue, Oloros. Permets-tu à un voisin désespéré de partager ta beuverie ? Je suis chassé de ma maison, sans abri, sans feu, poursuivi par un destin abominable. »

Oloros sourit :

« Je te salue, Hermippe. Assieds-toi et ne gémis plus.

— Je vais périr misérablement, répète le voisin en s'effondrant sur un divan.

— Sers-lui du vin, Timoklès. Et toi, Hermippe, écoute-moi, si tu as encore un peu de bon sens.

— Je suis ivre, complètement ivre.

— Je paierai ton propriétaire pour qu'en ma cruelle absence tu surveilles ma maison. Tu la protégeras contre les voleurs qui percent les murailles. »

Un éclair de joie brille dans les yeux de

l'ivrogne. Il brandit sa coupe, en déclarant d'une voix pâteuse :

« Ta gloire, Oloros, montera jusqu'aux cieux.

— Et maintenant, reprend le maître de maison, je propose que mon fils Timoklès soit le roi du banquet. »

Chacun accepte volontiers un roi aussi séduisant. Timoklès, triomphant, s'approche de Kallias pour lui chuchoter à l'oreille :

« Athéna est avec moi. »

*
* *

Les heures ont passé. Les convives, les uns après les autres, ont chanté en s'accompagnant de la lyre. Des danseuses sont venues réjouir le cœur des invités. Depuis longtemps déjà, on joue au jeu du cottabe. La règle est la suivante : chacun doit remplir sa coupe, la boire, puis lancer en l'air les dernières gouttes de vin pour renverser de minuscules embarcations qui flottent dans un vase. Le vainqueur est celui qui fait chavirer le plus grand nombre de navires en miniature.

C'est le moment que choisit Timoklès pour

mettre à exécution son projet. Il se lève et se met en face d'Oloros.

« Mon père, je veux partir avec toi jusqu'au fleuve Océan qui entoure la terre.

— Les nymphes ont saisi ton esprit, mon fils ! »

Timoklès sourit avec malice et reprend :

« Je veux que tu boives encore une coupe de vin. »

Oloros fronce les sourcils. Timoklès rétorque aussitôt :

« Personne n'a le droit de désobéir au roi du banquet ! »

Oloros boit une coupe, puis regarde fermement son fils dans les yeux.

« Tu resteras à Athènes avec ta mère et ta sœur.

— Bois encore, répète Timoklès impassible.

— Est-ce la sagesse d'Athéna ou la folie de Dionysos qui t'inspire ? » s'étonne son père.

Timoklès sourit à nouveau mais reste inflexible.

Il sert une nouvelle fois du vin.

À la quinzième coupe, Oloros déclare :

« Le vin ne m'a jamais fait perdre l'esprit. Aussi n'est-ce pas la chaleur de ce breuvage qui étonne mon cœur, mais ton courage et ton obstination.

— Alors je pars avec toi ! » s'exclame le garçon, qui croit déjà avoir gain de cause. Mais Oloros se contente de dire :

« Je m'en remets au jugement des dieux. Tu iras à Delphes consulter l'oracle d'Apollon.

— Mais quand ? demande Timoklès, déçu par cette demi-victoire.

— Tu partiras dans deux jours, avec Elpénor, et tu passeras par Corinthe. »

Hermippe, affalé sur les coussins, se réveille à moitié et grommelle d'une voix confuse :

« Heureux celui qui passe une nuit à Corinthe !

— Pourquoi ? demande Timoklès.

— Les femmes de Corinthe... mais tu verras, mon petit, tu verras. »

Et Hermippe retombe lourdement sur le divan.

3

Le philtre de l'oubli

Dans le port du Pirée, à trente-cinq stades[*] d'Athènes, Oloros accompagne son fils jusqu'au bateau qui doit le conduire à Delphes. C'est là que la Pythie transmet les réponses du dieu aux questions qui lui sont posées. Quoique le jour commence tout juste à poindre, la rade de Phalère grouille déjà d'activité : les pêcheurs préparent leurs longs filets, les commerçants font embarquer leurs marchandises, tandis que de nombreux esclaves taillent et transportent des

---

[*] Un stade : 180 m environ.

pierres pour la construction d'un nouveau port plus vaste.

Devant le navire, Oloros fait de brefs adieux.

« Prends cette bourse, Elpénor, pour payer les offrandes au dieu Apollon. »

Hermippe renchérit aussitôt :

« C'est que les prêtres sont voraces comme les loups en hiver ! Ils demandent des offrandes à chaque détour de la voie sacrée !

— Tais-toi, Hermippe, et ne juge pas les prêtres », dit Oloros.

Puis il se tourne vers Timoklès.

« Tu n'as que quatre jours pour arriver à Delphes. La Pythie ne donne ses oracles que le septième jour de chaque mois. »

Hermippe ne peut s'empêcher de donner à nouveau son avis :

« C'est un métier peu fatigant ! Peu fatigant et rentable ! »

Elpénor lui jette un regard scandalisé. Timoklès, ému et excité, interroge son père :

« Et toi, quand pars-tu jusqu'au bout de la terre ?

— À la fin du mois. Tu as le temps de revenir. Mais surtout ne traîne pas en route. »

Puis, Oloros, qui n'aime pas les bavardages inutiles, se tourne vers Hermippe.

« Viens avec moi. Je vais surveiller les préparatifs pour mon départ. »

Il s'éloigne dans la foule à grandes enjambées, tandis que son voisin trottine derrière lui en parlant sans cesse.

Le capitaine fait un sacrifice aux dieux pour qu'ils protègent leur voyage et donne l'ordre aux marins de s'engager dans le golfe Saronique.

La navigation est facile sous un bon vent régulier et, dès l'après-midi, Timoklès peut voir se profiler les collines de Corinthe. Il dévore des yeux la ville à la légendaire opulence. Mais bientôt leur navire se trouve pris dans un grand embouteillage de bateaux. Des embarcations de toutes tailles se bousculent pour entrer dans le port.

« Qu'est-ce qui se passe ? demande Timoklès au capitaine.

— Il faut attendre notre tour. C'est toujours long de traverser l'isthme de Corinthe. Tous les bateaux qui font le commerce entre l'Asie et l'Europe, et tous ceux qui vont d'une côte de la Grèce à l'autre passent par là. »

Timoklès s'inquiète.

« Nous serons arrivés le septième jour pour la consultation de la Pythie ?

— Ne te fais pas de souci, mon garçon. Une fois dans le golfe de Corinthe, nous atteindrons Delphes en moins de deux jours.

— J'aurais mieux fait d'y aller à pied ! murmure Timoklès avec regret.

— Pour cela, il faut être un fameux coureur ! »

Timoklès jette au capitaine un regard noir et rejoint Elpénor. Il lui dit :

« Je vais à terre voir ce qui se passe.

— Non, tu restes ici. Ton père t'a confié à ma

garde et je ne veux pas que tu traînes seul dans une ville inconnue. »

Timoklès boude.

« Tu sais bien que nous sommes pressés. D'ailleurs, je vais seulement me renseigner. Je reviens dans un instant. »

Et, sans attendre de réponse, il plonge dans la mer.

Elpénor, fâché, crie inutilement par-dessus bord :

« Timoklès ! Reviens ! »

Mais Timoklès fait semblant de ne pas l'entendre et nage entre les coques des bateaux jusqu'au quai. Puis il marche vers le fond du port, là où commence la cause de l'embouteillage, le

Diolkos. C'est une large chaussée dallée, longue d'une trentaine de stades, qui va du golfe Saronique au golfe de Corinthe dans la partie la plus étroite de l'isthme. C'est sur le Diolkos qu'on transporte les bateaux, d'une mer à l'autre, en les tirant avec des cordes pour les faire glisser sur des rondins de bois.

À l'entrée, dans une baraque de planches, un esclave public perçoit la taxe du passage. Un marin grogne car la taxe est de plus en plus chère. Le garçon s'approche à son tour.

« Je suis Timoklès, fils d'Oloros, du dème du Céramique.

— Que veux-tu ?

— Je veux passer très vite car je suis terriblement pressé. »

L'homme rit.

« J'entends cela trente fois par jour ! On croirait que vous avez tous les déesses des enfers à vos trousses. Tu attendras comme les autres. »

Timoklès se rend compte qu'il est inutile d'insister et se contente de demander :

« Quand sera mon tour ? »

L'esclave public jette un regard sur la rade couverte de navires.

« Il y a beaucoup de monde. C'est à nouveau

68

la saison où les hommes prennent la mer. Tu passeras peut-être demain. Ou peut-être après-demain. »

Timoklès est atterré. Il n'est pas question qu'il reste ici deux jours à tourner en rond comme un âne autour d'un puits. L'esclave public, voyant son air attristé, lui dit :

« Va en ville. Tu ne sentiras plus passer le temps ! »

L'esclave n'a pas menti. La ville est passionnante à vous faire oublier père et mère. Les boutiques sont d'un luxe inouï. Elles étalent des bijoux d'or venus d'Asie, des vêtements de soie ou d'un tissu inconnu appelé coton. D'autres exposent des vases représentant des dieux invraisemblables portant des têtes d'animaux. Toutefois, ce sont les femmes qui surprennent le plus Timoklès. Elles se promènent dans des robes de lin transparentes, le visage outrageusement fardé, les cheveux bleus, et agitent coquettement des éventails de toutes couleurs. Quant à leurs chaussures, elles expriment une fantaisie inépuisable : ouvertes, montantes, décolletées, elles sont jaune serin, vert perroquet, rouge écrevisse. Certaines ont même le talon surélevé à l'intérieur, ce qui grandit leurs propriétaires.

« À quoi cela leur sert-il de paraître plus hautes ? songe Timoklès. Et comment font-elles pour courir ? »

Poursuivant cette intéressante étude de pied en pied, il finit par remarquer une paire de cothurnes écarlates sur lesquels est écrit : « Suis-moi. » La femme qui possède ces aguichantes chaussures est d'une élégance provocante. Elle marche en faisant onduler une tunique assez courte qui montre une partie de ses jambes fines. Fasciné, Timoklès la suit longtemps. Soudain, la femme se retourne vers lui avec une expression exquise.

« Tu dois être nouveau venu dans la ville d'Aphrodite. Sinon, j'aurais déjà entendu parler de ta beauté. »

Intimidé par l'ahurissante séduction de son interlocutrice, Timoklès bafouille :

« Je dois aller à Delphes, très vite, et...

— Et ton bateau attend. »

La femme plisse légèrement de brillantes paupières sur des yeux couleur de mer d'été.

Puis elle ajoute, d'une voix joyeuse et douce comme un gazouillis d'oiseau :

« Les dieux qui ont fait la terre ont créé l'isthme de Corinthe pour que les voyageurs s'arrêtent dans la ville de l'amour avant de consulter l'oracle d'Apollon. »

Timoklès cherche à se rappeler les explications d'Elpénor à ce sujet, mais il semble que son pédagogue ait oublié de lui transmettre ce point particulier de la volonté des dieux.

La femme sourit à nouveau.

« As-tu déjà goûté les raisins de notre cité ? Ils sont sans pépin. Viens chez moi et je t'en offrirai. »

Sans attendre de réponse, elle se dirige vers une grande maison entourée de lauriers-roses.

Jamais Timoklès n'a vu de demeure aussi somptueuse. Les pièces sont larges, décorées de fresques, meublées de chaises sculptées, encombrées d'objets inutiles. Sur une petite table, la femme dépose des gâteaux aux amandes et au miel, spécialités de la région, et des raisins de Corinthe.

« Je m'appelle Timonassa. Et toi, quel est ton nom ?

— Timoklès.

— Celui qui devient célèbre par son courage ! »

La femme s'assied sur un divan couvert de

coussins multicolores et montre de sa main fine une place à côté d'elle.

« Assieds-toi ! »

Timoklès, sous l'effet d'une étrange fascination, s'installe près de Timonassa. Elle lui susurre d'un ton prometteur :

« Veux-tu du sang d'Héraclès ? »

Le garçon fait la grimace. Timonassa rit.

« C'est le vin du pays. On l'appelle ainsi en souvenir d'Héraclès. Car c'est non loin d'ici, à Némée, qu'il a tué le lion redoutable. On dit que le sang qu'il a perdu pendant le combat est entré profondément dans la terre pour se transformer en vin.

— Je ne veux pas de vin. J'ai beaucoup bu, il y a deux jours, au banquet de mon père.

— Tu es un enfant sage, trop sage », soupire Timonassa.

Et d'un air décidé elle se dirige vers une petite porte.

*
* *

Dans la pièce voisine, remplie de liqueurs et de plantes, Timonassa dit à sa vieille nourrice :

« Apporte-moi vite les herbes pour le breuvage de l'oubli.

— Que vas-tu faire encore avec ce pauvre garçon ?

— Le garder un moment près de moi, répond légèrement Timonassa. As-tu vu comme il est beau et comme son regard est fier ?

— Tu vas avoir des ennuis avec la police de la ville.

— Ne te fais pas de souci. J'ai aussi des philtres pour les archers. Allez, dépêche-toi. Il faut qu'il rate son bateau. Après, tout sera facile. »

Et Timonassa commence à malaxer savamment des herbes exotiques dans des huiles odorantes.

*
* *

« Bois cette coupe, Timoklès, pendant que je chante pour toi. »

S'accompagnant de la lyre, elle entame d'une voix aérienne une mélodie lente et répétitive qui envoûte l'âme.

« Il faut que j'aille retrouver Elpénor, pense Timoklès. Il doit s'inquiéter. »

Mais il se sent aussi lourd qu'un bloc de marbre. La voix claire se fond dans une harmonie exquise avec les sons de lyre. Les parfums subtils troublent ses pensées. Timoklès sent son esprit vaciller. Les contours des objets se

brouillent et se déforment. Les cheveux bleus de Timonassa s'allongent, se séparent, se nouent en longues tresses. Puis les tresses s'enroulent comme des serpents autour de ses yeux couleur de mer d'été. Les yeux eux-mêmes s'agrandissent, deviennent immenses comme des lacs, puis comme le vaste dos de la mer. Les flots envahissent la pièce, et Timoklès se laisse dériver, dans le doux bercement des vagues, comme un noyé insouciant et ravi.

*
* *

Une nuit et un jour se passent. Timoklès dort toujours profondément, perdu dans de fantastiques songes. C'est une chouette qui le réveille. Posée sur son épaule elle ulule obstinément. Timoklès croit d'abord que l'oiseau appartient à ses rêves étranges. Mais la persistance du bruit et la sensation d'une boule chaude et douce contre sa joue le tire de son sommeil. Il caresse maladroitement la chouette pour s'assurer de sa réalité. Elle glousse doucement de plaisir.

La pièce est plongée dans une demi-obscurité. Par la fenêtre, la clarté de la lune brille faiblement. Timoklès ne sait pas où il se trouve. Les événements passés, qu'il cherche à se rappeler, s'effilochent et s'évanouissent comme la brume du matin.

Dans l'embrasure de la fenêtre apparaît un mendiant. Il a les cheveux longs, la peau tannée par le soleil, et de belles rides régulières que seule la noblesse du cœur imprime sur les visages. Sous les sourcils épais, les yeux glauques, couleur chouette, étincellent. Une lumière vive entoure la fière tête du vieillard.

« Il rayonne comme Athéna ! » se dit Timoklès.

Le noble mendiant, comme s'il avait deviné ses pensées, lui sourit, de ce même sourire que lui a adressé la déesse sur l'Acropole. Puis la bouche redevient sévère et grave.

« Lève-toi et obéis-moi. Tu ouvriras la porte sur ta gauche, tu traverseras la cour, et franchiras le portail qui donne sur la rue. Là, tu rencontreras une chèvre dont tu boiras immédiatement le lait. »

Ayant parlé, le vieillard disparaît, comme par enchantement. Aussitôt la chouette prend son envol et s'enfuit, à sa suite, par la fenêtre.

Timoklès se lève comme un somnambule. La

porte donne bien sur une cour où un beau portail de cèdre massif s'ouvre sur la rue. Là, une jolie chèvre brune bêle de joie en le voyant. Timoklès s'accroupit sous son ventre et boit le lait chaud et odorant.

Petit à petit, les événements lui reviennent à la mémoire : la rencontre de Timonassa, la douce mélopée, le divan aux coussins multicolores, le breuvage au goût délicieux, et puis Elpénor, le bateau, l'oracle de la Pythie, le départ de son père. Le retour de la lucidité laisse Timoklès catastrophé : combien de jours a-t-il perdu ? Est-il trop tard pour aller à Delphes ? Que faire ? Le navire doit avoir franchi le Diolkos. Mais depuis combien de temps ? La honte et le chagrin au cœur, il se précipite vers le port du golfe de Corinthe.

*
* *

Les bateaux, toutes voiles affalées, ressemblent à de grands oiseaux endormis sur la mer. Les marins ronflent sur les ponts des embarcations. Dans la pâle clarté des étoiles, Timoklès n'arrive

pas à reconnaître son navire. Il court nerveusement le long du quai en appelant :

« Elpénor ! Elpénor ! »

Enfin, une silhouette tremblante se détache
d'un mât.

« Zeus souverain ! c'est enfin toi !

— Quel jour sommes-nous ?

— Tu veux me faire pleurer en posant de
pareilles questions ? »

Timoklès s'apprête à sauter à bord quand le
vieil esclave s'écrie :

« Arrête, malheureux ! Tu ne vas pas monter
à bord du navire sans t'être purifié ! Les dieux
seuls savent ce que tu as pu faire pendant tout ce
temps.

— J'ai rencontré une magicienne. »

Elpénor grommelle quelques doutes sur cette
explication et va chercher une cruche. Il revient
sur ses pas et verse l'eau sur les mains de son pro-
tégé en bougonnant.

« Certainement une femme de rien qui s'est
fait prendre pour une prêtresse de la lune ! Dire
que nous t'avons attendu deux jours entiers !

— On a encore le temps d'arriver à Delphes ?
s'inquiète le garçon.

— Il reste un jour, heureusement. »

Timoklès pousse un hurlement de joie.

« Réveille le capitaine et nous partons tout de suite. »

Elpénor le regarde, interloqué.

« En pleine nuit ? As-tu déjà vu un bateau naviguer sous les étoiles ? »

Et il murmure pour lui-même :

« C'était réellement une magicienne, pour lui faire perdre ainsi la raison. »

*
* *

Au point du jour, le vent est complètement tombé. Seuls les rameurs font avancer le navire. Timoklès marche sur le pont avec nervosité.

« Pourquoi ne rament-ils pas plus vite ?

— Ils ne peuvent faire davantage, répond Elpénor.

— Je vais remplacer celui-là, là-bas, qui a l'air fatigué !

— Jamais ! s'exclame le pédagogue indigné. Jamais mes yeux ne verront le fils de mon maître faire un travail d'esclave ! »

Puis il ajoute, en levant ses yeux clairs vers l'horizon :

« Regarde plutôt comme la lumière est belle ! »

Les collines succèdent aux collines, les rochers aux rochers, les criques aux criques. Dans l'après-midi, on entrevoit parfois, au fond d'une vallée, les sommets encore neigeux du mont Parnasse. À la fin du jour, le navire accoste dans un port.

« Est-ce Cirrha, le port de Delphes ? demande Timoklès piétinant d'impatience.

— Pas encore, répond le capitaine. Nous ne sommes plus très loin, mais nous devons nous arrêter. Il va faire nuit dans un instant. »

Timoklès est désespéré. Demain, il arrivera trop tard car la Pythie est matinale. Et sans oracle favorable, pas de voyage vers le fleuve Océan. Maudite soit Corinthe ! Maudite aussi sa sottise ! La honte lui brûle le cœur. Jamais il n'osera revenir à Athènes.

Les hommes descendent à terre pour dîner. Timoklès, solitaire et sombre, examine les collines. Elles sont couvertes de chênes kermès, de pins, de hêtres et d'innombrables taillis touffus et piquants.

« Vous ne venez pas ? » s'étonne le capitaine.

Timoklès se retourne brusquement vers Elpénor.

« Donne-moi cinq drachmes.

— Pour que tu ailles retrouver une magicienne !

— C'est pour les prêtres. Les prêtres de Delphes. »

Elpénor regarde longuement l'expression fiévreuse du garçon. Il le connaît trop bien pour ne pas avoir deviné son projet. Peut-il lui refuser cette dernière chance ? Ce sont les dieux qui arrêtent les destins, et un vieil homme comme lui ne saurait entraver leurs volontés.

Il tend les cinq pièces d'argent. Timoklès a un sourire de joie. Il s'adresse au capitaine :

« Je vais partir tout de suite pour Delphes.

— Comment vas-tu y arriver ?

— À la course ! »

Il met les drachmes dans sa bouche et saute sur le quai.

Il se retourne une dernière fois vers Elpénor.

« Tu me retrouveras demain devant le temple ! »

Elpénor lui fait un geste de la main comme s'il voulait le protéger à distance. Le capitaine lui donne un dernier conseil :

« Suis la côte jusqu'à Cirrha ! Sinon tu perdras du temps dans les collines ! »

Tous deux regardent le garçon s'éloigner de son pas léger. Enfin le capitaine s'adresse à Elpénor :

« Tu es un bien mauvais pédagogue. Je me demande pourquoi ton maître te confie son fils. Il te file toujours entre les doigts comme une anguille. »

Elpénor réfléchit un moment. Puis il dit gravement :

« Un maître ne se confie pas à un esclave. Mais je crois qu'Oloros est content de ce que j'enseigne à son fils.

— Et que lui apprends-tu donc de si remarquable ?

— Je lui apprends à respecter les dieux et les hommes », répond Elpénor avec simplicité.

4

L'oracle de la Pythie

En suivant le sentier malaisé et rocailleux qui longe la mer, Timoklès se remémore les explications de son père sur l'emplacement de Delphes. Le relief découpé de la côte doit s'incurver le long d'un golfe étroit et profond qui se resserre progressivement jusqu'au port de Cirrha. Là, s'étend une vaste plaine couverte d'amandiers et d'oliviers. Au fond s'élèvent rapidement des collines et des rochers. C'est en haut de ces rochers, surplombant d'un côté la mer, et de l'autre une profonde vallée qui s'étend jusqu'au mont Parnasse, que se tient le sanctuaire d'Apollon.

L'air est frais, la course agréable près du clapotement des vagues tranquilles et aucun vent ne contrarie son effort régulier. Timoklès est heureux. Il pense qu'il arrivera à Delphes quand la lune sera au milieu du ciel.

Cette euphorie est de courte durée. Le sentier s'arrête brusquement devant un énorme massif rocheux qui tombe à pic dans la mer. Timoklès essaie de passer par la colline. Mais il n'y a pas de chemin et il ne parvient pas à avancer à travers les massifs d'acanthes aux longues épines. Il revient sur ses pas.

« Le capitaine n'a jamais fait la côte à pied, pense-t-il. Sinon il ne m'aurait pas donné un conseil aussi stupide. »

Il décide de suivre la côte à la nage et plonge dans la mer.

L'eau est encore très froide à la fin de l'hiver. Timoklès frissonne. Il s'efforce de nager le plus vite possible pour que ses muscles ne se refroidissent pas. Après avoir contourné le rocher, il découvre une longue falaise verticale, absolument inabordable. Il se sent gelé. Sa respiration devient brève et fatigante. Sa peau se hérisse et ses membres se mettent à trembler.

« Je ne vais pas mourir stupidement pour quelques rochers dans la mer », se dit-il.

Pour ne pas s'affoler, il s'applique à suivre des yeux les lignes argentées que ses mains dessinent dans l'eau scintillante. Mais il avance de plus en plus lentement. Il ne souffre plus du froid, cependant son corps est comme paralysé. Enfin, il atteint le bout de la falaise. Sur la droite se trouve une petite crique au pied d'une verte colline. Il était temps. Il se hisse péniblement sur la berge. Ses dents claquent dans ses mâchoires raidies. Il grelotte. Il enlève maladroitement sa tunique dégoulinante et sautille en se donnant de grands coups sur les bras.

Ayant retrouvé son état normal, il se dirige, tout nu, sa tunique mouillée à la main, vers la baie de Cirrha.

Bientôt s'étendent paisiblement devant lui les champs d'arbres fruitiers. Au fond se dresse la masse sombre des montagnes.

« Il n'y en a plus pour longtemps », se dit-il pour se donner du courage.

Un petit sentier bien dessiné monte à travers des arpents de vigne au pied sec et noueux, puis se faufile entre des taillis de plus en plus touffus. C'est alors qu'il entend des grognements.

Au détour du chemin, un sanglier gratte le sol sous un chêne à la recherche de quelques glands. La lune est dans la deuxième moitié de sa course et Timoklès n'a pas le temps de rebrousser chemin pour chercher un autre sentier. Il ne peut pas non plus s'éloigner sur la gauche ou sur la droite car les massifs d'acanthes sont trop épais.

« Après tout, se dit-il, mieux vaut un sanglier qu'une magicienne ! »

Timoklès connaît bien la chasse, qu'il pratique souvent dans les montagnes entourant Athènes. Mais ce soir-là il n'a ni filet, ni armes. Aussi revient-il sur ses pas à la recherche d'un morceau de bois résistant. Puis il retourne prudemment vers le chêne.

Le sanglier a senti la présence humaine. Il relève sa tête puissante, dont les défenses font deux taches claires sur la peau noire. Timoklès saisit sa tunique et l'étend, bien droite, devant lui. Immobile, il surveille l'animal. Le sanglier laboure le sol de quelques pas rageurs, hésite, et fonce avec une rapidité surprenante pour ses courtes pattes. Timoklès fait un saut sur le côté et jette sa tunique sur le groin de la bête. Le sanglier, aveuglé, secoue la tête en tous sens. Mais le tissu trempé adhère fortement à la peau. Alors Timoklès brandit son gourdin et frappe la lourde nuque. L'animal se retourne en mouvements violents mais maladroits, car il ne peut voir son adversaire. Tournant avec agilité autour de la bête furieuse, Timoklès renouvelle ses coups. Dans des grognements plaintifs, le sanglier s'abat sur le sol.

La lune décline à l'horizon lorsque Timoklès arrive à Delphes. Les tentes des consultants s'étendent sur les versants des collines, car il n'y a ni auberge, ni maison, dans ce sanctuaire. Timoklès est épuisé. Il a froid. Il a faim. Il se sent

ridicule d'être nu dans ce lieu sacré. Pour tout oublier à la fois, il se blottit le long d'une tente au bon tissu de laine et s'endort immédiatement.

*
* *

Il ne dort pas longtemps. À l'aube, un grand brouhaha s'élève autour de lui. Une chaude couverture a été jetée sur son corps.

« Tu es réveillé ! » dit une voix à l'accent traînant de Béotie.

Un homme corpulent, d'une trentaine d'années, lui tend une galette de froment et quelques olives.

« D'où venais-tu sous les étoiles ? demande-t-il.

— De Corinthe. »

L'homme hoche la tête gravement.

« On perd souvent sa tunique à Corinthe ! Garde la couverture, elle te servira de manteau. »

Le garçon drape le carré de laine en l'accrochant à l'épaule. Le Béotien commence à plier la tente.

Quand l'aurore éclaire de teintes diaphanes le sommet des montagnes, Timoklès reste ébloui par la majesté du site. Deux falaises claires, la Rose et la Flamboyante, surplombent le sanctuaire. Accroché en terrasse sur les rochers, le temple paraît suspendu entre ciel et terre. L'air mordant du matin donne aux édifices de marbre une légèreté immatérielle. Au-dessous, une vallée profonde, pleine de douceur et d'ombre, s'enfonce entre les collines verdoyantes que les cyclamens et les anémones piquent de taches roses et mauves. Sur les petits sentiers de terre rouge, apparaissent des silhouettes de femmes qui cueillent des herbes sauvages ou promènent leurs chèvres. Derrière lui s'étend le bleu profond de la baie de Cirrha.

Timoklès se sent profondément ému. C'est ici le milieu du monde. Car ici, jadis, se sont croisés les deux aigles que Zeus a lancés de part et d'autre du disque de la terre. Maintenant il en comprend la raison. Le centre du monde ne pouvait être ailleurs que dans ce lieu unique où tant de grandeur s'allie à tant d'humanité.

La voix du Béotien rompt sa contemplation.

« Dépêche-toi, si tu veux avoir ton tour.

— Où faut-il aller ?

— Viens avec moi. »

Timoklès examine le Béotien. Il a une expression paisible et sérieuse.

« Tu as déjà consulté ? demande-t-il.

— Je suis venu quand toute ma famille était malade parce que j'avais blessé mon frère un jour de colère, explique l'homme.

— Que t'a dit la Pythie ?

— De sacrifier un porcelet et d'en répandre le sang sur ma tête.

— Et ta famille a guéri ?

— Évidemment. »

Tous deux se dirigent, parmi une foule anxieuse et bavarde, vers une terrasse, en contre-bas du sanctuaire.

« Que viens-tu demander, cette fois-ci ? s'enquiert le garçon.

— Si je dois me marier. »

Sur la terrasse, les prêtres organisent l'ordre des consultations. Les consultants sont répartis en trois groupes : les habitants de Delphes qui ont la priorité, puis les Grecs et enfin les barbares.

« Que c'est long », murmure Timoklès qui sent grandir en lui l'anxiété de la réponse du dieu.

Dès qu'arrive le tour des Grecs, Timoklès se précipite le premier.

« D'où viens-tu ? demande le prêtre.

— D'Athènes.

— Alors attends. Les habitants de Siphnos passent d'abord.

— Et pourquoi pas les Athéniens ?

— La Pythie rend ses oracles dans l'ordre que dicte le dieu », répond sèchement le prêtre.

Le Béotien lui chuchote à l'oreille :

« Ils ont un privilège, car ils ont donné un trésor au temple.

— Athènes ferait bien d'en donner un. »

Le Béotien est choqué par une telle désinvolture.

« Pour cela, il faut une occasion exceptionnelle. »

Dès qu'arrive le tour des Athéniens, Timoklès, à nouveau, essaie de passer le premier. Il faut d'abord payer.

« Donne une obole pour tirer les fèves », ordonne le prêtre.

Le garçon sort de sa bouche une pièce et tire une fève. Elle est noire. Son voisin qui a tiré la fève blanche passe devant lui. Timoklès soupire d'impatience. Trois fois de suite, il tire une fève noire.

Enfin il peut monter jusqu'à la fontaine Castalie. C'est une source claire, dans l'anfractuosité qui sépare la Rose et la Flamboyante. Son eau est retenue, sous un large platane, dans un bassin de pierre.

« Que faut-il faire ? demande le garçon au Béotien qui l'a rejoint.

— Te laver les pieds et les mains dans le bassin et boire l'eau. »

Le Béotien donne l'exemple. Timoklès imite son compagnon. Et tous deux montent vers le sanctuaire. Timoklès sent son cœur battre dans sa poitrine et s'étonne du calme de son compagnon. Mais il comprend que la décision de se marier est beaucoup moins importante que celle de partir à la recherche du fleuve Océan.

« Où est la Pythie ?

— Attend, mon garçon, attends ! Nous n'y sommes pas encore. Il faut acheter des offrandes. »

Sur l'esplanade, à l'entrée du sanctuaire, se tiennent des marchands. Timoklès suit son guide improvisé et achète comme lui dix galettes de froment et une pierre ombilicale, petite pierre ovale qui représente le nombril du monde.

Enfin s'ouvre la voie sacrée, dallée de larges pierres. De part et d'autre, se détachant sur l'arrière-fond de collines, se dressent des statues posées sur des colonnes et de petits temples appelés trésors. Ils passent devant le trésor de Siphnos donné en remerciement d'une pêche miraculeuse, puis devant le trésor des Marseillais.

« Qui sont les Marseillais ? demande Timoklès.

— On m'a dit que ce sont des gens qui vivent en Gaule. Mais je ne sais pas où c'est. Allez, viens. »

Après le premier tournant, apparaît de profil, sur la gauche, le temple d'Apollon. Il est soutenu par un mur polygonal dont les pierres à cinq côtés s'enchevêtrent les unes dans les autres. En contournant le mur, on débouche sur une terrasse où sont rassemblés les consultants. Un large autel de granit précède l'entrée du temple.

« Viens-tu pour une consultation privée ou une consultation publique ? demande un prêtre.

— Une consultation privée.

— Alors donne sept galettes et une pierre ombilicale. »

Le moment tant espéré arrive enfin. Timoklès essaie d'imaginer son entrevue avec la Pythie. Pourtant le temps s'écoule sans que personne n'entre dans le temple.

« Qu'est ce qu'on attend encore ? » demande-t-il.

Le Béotien lui montre du doigt une délégation de prêtres qui apportent une chèvre noire. Ils la placent devant l'autel et patiemment l'entourent de bandelettes de laine colorée. Puis ils lèvent au-dessus de sa tête deux amphores d'or et versent l'eau sur le dos de l'animal. Un murmure de consternation parcourt l'assistance. Timoklès, affolé, regarde les consultants qui baissent tristement la tête.

« Que se passe-t-il ?

— La chèvre ne tremble pas sous l'eau froide. Son âme n'est pas dans une disposition normale, lui explique le Béotien.

— Et alors ?

— Ce présage signifie que le dieu ne répondra pas.

— Tu veux dire que la Pythie ne consultera pas ?

— Non. Elle pourrait en mourir.

— C'est impossible, dit Timoklès suffoqué. On l'a mal arrosée. »

Et, oubliant le respect que l'on doit aux prêtres, il leur crie :

« Il faut recommencer ! Vous l'avez mal arrosée. »

La foule, soulagée qu'une voix insolente ait osé s'élever, répète à voix basse :

« Il faut recommencer. Arrosez-la encore. »

Les prêtres, surpris, délibèrent à voix basse. À nouveau, ils lèvent les amphores d'or pour asperger l'animal. La chèvre, cette fois-ci, se met à trembler jusqu'à l'extrémité de ses pattes avec tant de violence que ses sabots font un bruit saccadé sur la dalle. Un prêtre annonce avec emphase :

« L'oracle consent à répondre. »

Timoklès soupire de soulagement.

« Ça commence maintenant ?

— Il faut attendre encore, répond son compagnon. On doit brûler entièrement la chèvre en holocauste. »

Pour calmer son énervement, Timoklès regarde le temple d'Apollon. Il est en beau marbre fin comme celui de l'Acropole. De chaque côté de l'entrée, deux statues sont posées sur un socle. Sur le socle de la première est écrite la devise des Sages : « Connais-toi toi-même. » Sur l'autre : « Rien de trop. »

Le Béotien lui tape sur l'épaule pour lui indiquer une vieille femme revêtue de vêtements blancs comme ceux d'une jeune fille. Elle s'avance vers le temple. Il lui murmure :

« C'est la Pythie. »

La foule, bouleversée, garde un silence absolu. L'espoir, l'émotion, l'inquiétude, les larmes passent dans les regards. Timoklès sent l'anxiété envahir son cœur. Que fera-t-il si l'oracle est défavorable ? Cette perspective le glace d'effroi.

*
* *

Le soleil est haut dans le ciel et l'air bruissant du chant des cigales quand arrive son tour de consultation.

Un prêtre l'interpelle avec reproche.

« Tu oublies le prix de la peau ! »

Timoklès le regarde sans comprendre. Le prêtre lui explique :

« On a brûlé entièrement la chèvre et tu dois participer au prix de sa fourrure. »

Timoklès tend une pièce d'argent et repart vers le temple.

Il s'apprête à franchir la porte d'entrée quand une voix familière lui crie :

« Malheureux ! Tu ne vas pas passer l'autel sans déposer une brebis ! »

C'est Elpénor, essoufflé, une brebis dans les bras, qui court jusqu'à lui.

« J'étais sûr que tu oublierais cette offrande. »

Timoklès est trop troublé pour répondre. Prenant la brebis, il passe gravement sous le portique à hautes colonnes, traverse une première pièce décorée de fresques sans même remarquer les somptueux cratères d'or offerts, jadis, par le roi Crésus. Il franchit une porte monumentale de bois précieux et reste cloué sur place de surprise. Dans la grande salle du temple, sont amoncelés, en un désordre indescriptible, des trônes d'or, des vases d'or et d'argent, des statues d'or ou de marbre, des chaudrons de bronze gravé, des lyres en bois rare, des étoffes scintillantes, des poteries délicatement peintes et des chars suspendus en l'air. Au milieu de ce fouillis rutilant brille le feu éternel de l'autel sacré, dont la pierre, frottée d'huile parfumée, étincelle à la lueur des flammes.

Timoklès, abasourdi par tant de splendeur, dépose timidement sa brebis sur l'autel. Un prêtre lui fait signe de le suivre jusqu'au fond de la salle.

Il fait de plus en plus obscur. Le dallage du temple s'arrête brusquement devant une fosse rectangulaire, légèrement en contrebas. Dans ce creux très sombre se tient la Pythie. Timoklès est tellement déconcerté qu'il reste immobile, à contempler l'étrange lieu de la prêtresse d'Apollon. La fosse est partagée en deux par une paroi de bois. À gauche se trouve l'isoloir pour les consultants. À droite se tient la vieille femme vêtue de blanc. Elle est en train de boire au filet d'eau sacrée qui vient directement du fleuve des enfers. Elle est agitée d'un léger tremblement et semble ne pas voir ce qui l'entoure. Près de la Pythie se dresse une grosse pierre ovale qui représente l'ombilic de la terre. Elle est surmontée de deux aigles d'or. À côté un laurier touffu, l'arbre d'Apollon. Et surtout, au milieu, un inquiétant trou noir.

« C'est par là que sort le souffle de la terre », se dit Timoklès.

Le trou est entouré d'une margelle qu'enjambe un haut trépied. Lorsqu'elle s'assied sur le trépied, la Pythie respire le souffle de la terre et connaît alors les pensées du dieu.

« Descends », ordonne le prêtre.

Arraché à sa fascination, Timoklès suit le

prêtre dans l'isoloir par une courte échelle de
bois. Tous deux s'assoient sur de petites chaises.

Timoklès se trouve soudain minuscule et insi-
gnifiant. À côté du nombril du monde, il se sent
écrasé par la grandeur des dieux. Eux qui ont

construit l'univers, qui en maintiennent difficilement le périlleux équilibre, peuvent-ils s'intéresser à son projet ? Par rapport à leurs tâches sou-
veraines, son désir de suivre son père paraît un
caprice futile. Et pourtant, par Athéna, si l'oracle
refuse sa requête, il sera tellement malheureux !

Il ne peut plus voir la Pythie cachée derrière
la paroi de bois. Mais il entend très distinctement
ses pas qui s'approchent du trépied sacré. Une
odeur lourde et parfumée emplit la fosse. La
Pythie pousse quelques gémissements.

« Pose ta question », dit le prêtre.

Timoklès s'efforce de maîtriser son émotion en
disant très lentement selon la formule rituelle :

« Sera-t-il préférable et meilleur que je suive
mon père Oloros jusqu'au fleuve Océan qui
entoure la terre ? »

Un long silence suit sa question. Timoklès a
l'impression d'étouffer. L'air devient-il plus
lourd ? Est-ce la crainte qui l'oppresse ? Il ferme
les yeux pour mieux entendre. La respiration de
la vieille femme s'accélère, et devient saccadée et
brutale. Puis elle se transforme en longs siffle-
ments plaintifs. Soudain le trépied, soulevé par le
souffle sacré, tape contre la margelle. Et la Pythie,
saisie par la possession divine, pousse des cris

effrayants. Longtemps les hurlements résonnent contre les parois de la fosse. Timoklès est paralysé de stupeur.

C'est alors que d'une voix rauque et si profonde qu'elle semble sortir des entrailles de la terre, la Pythie transmet la volonté du dieu.

« Par les flots déchaînés et la panique indescriptible, tu verras, au milieu, le trésor des Athéniens. »

Aussitôt, le prêtre grave sur un morceau d'argile les paroles inspirées. Petit à petit, le souffle de la Pythie s'éteint comme la flamme d'une lampe sans huile et le silence retombe dans la fosse.

Le prêtre se lève en tendant la tablette à Timoklès. Celui-ci, abasourdi, murmure :

« C'est tout ?

— N'est-ce pas suffisamment clair ? »

Et le prêtre commence à gravir l'échelle de bois. Timoklès le suit, comme dans un mauvais rêve. Une fois dans la salle, il s'adresse à nouveau au prêtre :

« Il n'y a vraiment pas d'autre réponse ? »

Le prêtre le regarde avec reproche.

« Le sage sait comprendre les énigmes des

dieux. Seuls les sots ne savent pas tirer la leçon de messages limpides. »

Timoklès, bouleversé et ahuri, traverse les larmes aux yeux la salle aux chars suspendus. À la sortie du temple, dans la lumière qui l'aveugle, il distingue la silhouette d'Elpénor qui lui sourit d'un air confiant. Alors il court vers son pédagogue et se jette dans ses bras en éclatant en sanglots.

« Je suis un sot. Je suis stupide. Je ne sais que courir. Je ne peux pas comprendre les paroles des dieux. »

Elpénor caresse doucement les boucles brunes et lui dit pour le rassurer :

« Ton père et Kallias sauront certainement interpréter cette énigme. »

5

Un départ clandestin

Dans le gymnase public d'Athènes, à l'ombre des portiques pour éviter les rayons du soleil, Kallias disserte avec quelques disciples de Dicéopolis. Le maître vient de quitter la ville, et les jeunes gens mettent à profit son enseignement en traitant du poids respectif de l'air et de l'eau.

Timoklès entre en trombe dans la palestre, court vers le groupe de discoureurs et déclare d'une seule traite :

« Par les flots déchaînés et la panique indes-

criptible, tu verras, au milieu, le trésor des Athéniens. »

Kallias l'écoute attentivement et répète lentement :

« Par les flots déchaînés et la panique indescriptible, tu verras, au milieu, le trésor des Athéniens. Ce sont exactement les mots inspirés ? Tu
n'en omets aucun ?

— Aucun », répond Timoklès suspendu aux
lèvres de son ami.

Kallias avec un fin sourire conclut :

« Il n'y a aucun doute possible. Les dieux protègent ton voyage. »

Un disciple s'exclame aussitôt :

« Ce que tu dis est insensé. Ils lui annoncent
un terrible malheur au contraire. »

Kallias, vite repris par l'ivresse des tournois de
la parole, demande d'un ton sarcastique :

« Quel malheur voit ton esprit obscurci ?

— C'est clair comme la lumière du matin. Au
milieu de la panique, vraisemblablement un combat naval, Timoklès voit s'engloutir le trésor des
Athéniens. Son départ entraînerait une catastrophe.

— Quel rustre ! s'esclaffe Kallias.

« — Explique-moi, par Athéna, comment tu peux dire autrement ? »

Kallias recule d'un pas et fixe son interlocuteur d'un regard perçant.

« En premier lieu, qui te dit que le milieu soit celui de la panique ? Il y a autant de milieux que de cercles. Et ne vois-tu pas au contraire, avec une clarté divine, que la Pythie parle d'une ligne droite qui va des yeux de Timoklès au trésor des Athéniens ?

— Que veux-tu dire ?

— Que sur la mer déchaînée, comme dans la panique indescriptible, Timoklès protège de son regard le salut de la cité.

— Subtil bavardage qui va amener un grand désastre ! » constate un deuxième disciple.

Un troisième ajoute, l'air lugubre :

« C'est le triomphe de nos ennemis que contemple Timoklès.

— C'est la gloire de notre cité », rétorque Kallias.

Le premier disciple est furieux.

« Tu profères tant d'audaces déraisonnables que je vais aller manger. »

Kallias s'esclaffe :

« Manger à midi ! Par Zeus, quelle gourmandise ! Je vois que ton estomac, comme ton esprit, sont ceux d'un Béotien. »

Le disciple se retourne, sur le seuil de la palestre :

« Pour plaire à ton ami, tu déformes les oracles. Par tes divagations, tu insultes les dieux. Toute l'Agora le saura bientôt. »

Kallias éclate de rire et déclare dans un vaste mouvement du bras :

« Un jour, tes yeux verront l'Agora me couvrir de roses ! »

Timoklès, déçu de ces joutes oratoires, et toujours incertain sur son sort, décide d'aller trouver son père.

*
* *

L'Agora est presque vide, à l'heure où le soleil est au milieu du ciel. Quelques hommes jouent sous les platanes. Deux autres nourrissent d'ail et d'oignon leurs coqs, pour préparer le combat qui doit avoir lieu à la fin de l'après-midi. Hyperbolos, sous les colonnes de la Tholos, surveille la place. Dès qu'il voit surgir Timoklès de la rue du Trépied, il l'interpelle :

« Ton père n'est pas redescendu de l'Acropole ? »

Timoklès est agacé par cette rencontre.

« Pourquoi aurait-il été sur l'Acropole ?

— Pour interroger les prêtres d'Athéna sur la réponse de l'oracle. »

Le garçon est surpris.

« Mais je n'ai pas vu mon père. Il ne sait encore rien.

— Je me suis chargé de tout, explique Hyperbolos. Dès que j'ai rencontré Elpénor, je lui ai demandé la nouvelle. Et j'ai été aussitôt l'annoncer à ton père.

— Pourquoi te mêles-tu toujours de tout ? » fait Timoklès mécontent.

Hyperbolos, offensé, répond avec une grande dignité :

« Tu raisonnes comme un petit enfant qui ignore l'importance des affaires. Ton départ concerne toute la cité. Si tu pars en voyage avec Oloros, cela fera un électeur de moins dans le dème du Céramique et un athlète de moins pour les prochains jeux d'Olympie. Mais où vas-tu ? »

Timoklès est déjà reparti, par la voie des Panathénées, vers le temple d'Athéna.

Chrysilla descend l'escalier de bois à toute vitesse.

« Je vais jusqu'au bout du monde, lui crie Timoklès rayonnant de bonheur. Les prêtres ont déclaré que l'oracle est favorable à mon départ.

— Je me demande comment ils ont fait ! remarque sa sœur.

— Ce n'était pas difficile à interpréter ! » répond le garçon avec désinvolture.

Puis, saisi de scrupule devant sa légèreté, il ajoute :

« En fait, ils n'ont pas très bien compris. Mais ils ont dit que c'était de bon augure. »

Les yeux de Chrysilla se remplissent de larmes et elle renifle bruyamment pour étouffer des sanglots. Timoklès la prend doucement dans ses bras.

« Ce n'est pas la peine de pleurer. Je n'ai pas de vase pour garder tes larmes ! »

Chrysilla renifle de plus belle.

« Je veux partir avec toi.

— Tu ne peux pas, lui dit gentiment son frère.

Tu resteras sagement ici et tu tisseras le péplos d'Athéna. »

Chrysilla se dégage avec une brusque violence.

« Je ne veux pas rester enfermée dans un sanctuaire !

— Tu ne pourras plus faire tes petites promenades nocturnes !

— Ah ! fait Chrysilla, surprise. Tu savais !

— Je n'ai rien dit. Ce n'est pas drôle d'être une fille. »

Chrysilla marche de long en large en mâchonnant une feuille de figuier. Elle plisse ses yeux pour mieux se livrer à une concentration inhabituelle. Puis, l'air déterminé, elle s'assied sur une marche et parle d'une voix précise :

« Que dit ton as de la parole ? Il doit être désespéré de te voir partir ?

— Kallias fera le début du voyage avec nous. Il veut rejoindre Dicéopolis qui fait des conférences en Grèce d'Asie.

— Où est-ce, la Grèce d'Asie ?

— De l'autre côté de la mer Égée. Ce que tu es ignorante, ma pauvre fille ! »

Chrysilla éclate de colère :

« Tu es un esprit primitif ! Crois-tu que c'est

en tissant toute la journée que je peux apprendre la géographie ! »

Timoklès, qui ne comprend rien à l'attitude de sa sœur, s'approche d'elle tendrement.

« Tu me manqueras.

— Eh bien, toi, tu ne me manqueras pas. Et avec ton école, ton pédagogue, ton maître de gymnase, ton professeur de musique, tu ne peux même pas deviner pourquoi ! »

Et elle remonte à grand bruit l'escalier.

*
* *

Chrysilla a décidé de s'enfuir et de se cacher sur le bateau de son père. Tant pis pour ce qui arrivera. Rien ne peut-être pire que de rester là, enfermée, sans pouvoir s'amuser avec son frère. D'ailleurs, pourquoi ne verrait-elle pas le monde, elle aussi ? Sa mère se consolera avec ses amies.

Aussi attend-elle impatiemment que la maison s'endorme. Mais, en cette veille de départ, il semble que chacun ait décidé d'imiter les chouettes et de ne pas fermer l'œil de la nuit. Sa nourrice pleurniche doucement. À côté, dans la chambre conjugale, sa mère, triste mais digne, écoute les conseils d'Oloros pour la bonne tenue de leurs terres et de leurs maisons pendant ses dix ans d'absence. Oloros explique aussi ses projets. En visitant les hommes, de par le monde, il veut leur apporter les bienfaits de la société athénienne. Aussi a-t-il fait charger son bateau de statues, de bijoux, d'écrits politiques et poétiques, d'instruments de musique, d'outils, de plants d'arbres, de jarres de vin et d'huile, de sacs de blé et d'orge, enfin tout ce que le génie grec peut apprendre à des hommes vivant avec d'autres mœurs et sous d'autres climats. Quant à Timoklès, il est bien trop excité pour songer à dormir.

La lune est déjà haute dans le ciel et Chrysilla s'affole comme un papillon mis sous un bol. Comment pourrait-elle déjouer la surveillance de sa famille ? Une idée germe subitement dans son esprit imaginatif. Elle va rapidement chercher sa peau d'ours, la jette sur ses épaules, et se rend près de son père.

« Je vais danser pour toi », lui dit-elle.

Oloros sourit. Il apprécie le côté intrépide et fantasque de sa fille, à condition, bien sûr, qu'elle se soumette absolument à ses ordres.

Chrysilla entame la danse de l'ours, puis, faisant semblant de tituber, elle soupire.

« Je suis épuisée. Je vais aller dormir. »

Et elle passe dans sa chambre pour se jeter sur son lit, blottie sous sa peau d'ours.

Oloros, ému, s'approche d'elle.

« Tu dors déjà, Chrysilla ? »

Et il caresse doucement la tête de sa fille sous la crinière de l'animal.

« Tu as réjoui le cœur de ton père, pendant sa dernière nuit. »

Comme Chrysilla ne répond pas, l'homme superbe s'attendrit :

« Vois-tu, nourrice, quelle innocence ! Le sommeil doux comme le miel s'est déjà emparé de son esprit. Souffle la lampe et ne la réveille pas. Il est inutile de troubler ses yeux par les pleurs des séparations. »

La nourrice souffle la flamme et se couche à son tour. Lorsque la respiration de la femme devient calme et régulière, Chrysilla se lève prudemment, tasse une couverture sous la peau de la bête pour lui donner du volume, et dégage les tuiles du toit.

Il fait encore nuit quand elle arrive dans la rade de Phalère. Il lui est facile de reconnaître le bateau de son père à son chargement hétéroclite. Elle monte par l'échelle de corde à l'arrière du

navire, et se dirige vers un tonneau d'argile
qu'elle vide de son vin sans faire de bruit. Puis
elle se cache à l'intérieur en tirant à moitié le couvercle sur sa tête.

*
* *

À l'aurore, beaucoup d'amis et de curieux sont
rassemblés autour de l'autel, couvert de guirlandes, dressé dans le port. Oloros, de son pas

113

majestueux et rapide, tire derrière lui un taureau, l'animal préféré de Poséidon, le dieu de la mer. Il est suivi par Timoklès et Kallias.

« Il emmène son fils ? demande une femme à sa voisine.

— Ainsi en a décidé l'oracle d'Apollon.

— Pauvre enfant, qui ne sait rien encore du malheur ! »

La cérémonie se déroule vite. Timoklès jette les grains d'orge, Kallias verse l'eau lustrale. Oloros, d'un geste ferme, tranche la gorge de l'animal dont le sang éclabousse l'autel.

Au moment où le soleil apparaît au-dessus de l'horizon, Oloros saisit le cratère d'argent rempli de vin et le lève vers la lumière du jour.

« O toi, Poséidon, l'ébranleur de la terre, écoute mes paroles. Je prends à témoin la terre généreuse, le vaste ciel et la mer immense, que jamais je n'ai voulu usurper un pouvoir tyrannique. Aussi ne soulève contre moi aucun vent mauvais et aucune houle menaçante. Conduis-moi sur les routes liquides jusqu'au fleuve Océan et donne à mon cœur le bonheur de revoir le sol de ma patrie. »

Puis, dépeçant l'animal, il jette sur le feu tous les morceaux et tend au devin, qui se tient près

de lui, le foie du taureau. Le devin l'examine longuement et garde le silence.

« Eh bien, qu'as-tu à dire ? » demande Oloros
impatient.

La fumée grasse des cuisses de l'animal monte
lentement vers les dieux tandis que le devin se
tait obstinément.

« Ne me cache rien de ce qui m'attend ! »
insiste Oloros.

Le devin lève timidement les yeux.

« Le lobe gauche est minuscule. C'est un mauvais présage.

— Que veux-tu dire ? demande Oloros irrité.

— Que quelque malheur t'attend !

— Un lobe légèrement plus petit que de coutume n'annonce pas un grand malheur. »

Puis il toise le devin avec colère :

« Devin borné, crois-tu que je puisse faire un
si long chemin sans rencontrer quelques tourments ? Voudrais-tu me faire peur, comme à un
lâche ?

— Je dis ce que je vois. Et je ne crains pas ta
colère !

— Tant mieux, s'exclame joyeusement Oloros. Maintenant, monte sur le navire pour

m'accompagner tout le long du voyage, afin d'interpréter les présages sur ce qui m'attend.

— Mais tu n'écoutes jamais rien de ce que je te dis, gémit le devin.

— Je t'écouterai quand il manquera un lobe tout entier. »

Et, superbe, Oloros saisit le cratère d'argent et en verse le vin dans la mer.

Sur le bateau, Elpénor apporte dans une cassolette le feu sans lequel nul ne peut s'aventurer loin de sa maison. Il fait ses adieux à Timoklès, car il est trop âgé pour s'aventurer dans un aussi long périple. Dissimulant son émotion, le pédagogue lui donne, avec toute la conviction de son âme aimante, sa dernière leçon :

« Quel que soit le destin qui t'attende, n'oublie jamais, et sous aucun prétexte, de faire aux dieux les sacrifices et les offrandes qui leur sont agréables. Pour le reste... »

Le vieil esclave regarde dans le vague, comme s'il cherchait à deviner tout ce que peut oser un cœur aussi impulsif et aussi fier. Un nuage d'effroi passe dans ses yeux clairs.

« Pour le reste, murmure-t-il avec bonté, à la nécessité toujours les dieux pardonnent. »

*
* *

Profitant d'un bon vent du sud, le vaisseau vogue rapidement sur la mer Égée. À la première escale, les hommes descendent à terre. Timoklès s'apprête à les suivre, lorsqu'il entend la voix claire de Chrysilla :

« Timoklès ! »

Étonné, il revient sur ses pas.

« Timoklès ! Je suis là. »

Le garçon cherche dans la direction de la voix et finit par découvrir sa sœur qui émerge d'un tonneau. Ses yeux brillent de malice pour lui déclarer :

« Je t'avais dit que tu ne me manquerais pas ! »

Devant l'air sombre de son frère, elle ajoute, dépitée :

« Tu ne trouves pas cette ruse admirable ? »

Timoklès a l'air contrarié.

« As-tu pensé à la colère de notre père ? demande-t-il.

— Tu lui expliqueras que j'aime courir et danser sous les étoiles. Il t'écoutera. »

Timoklès ne paraît pas convaincu.

« D'abord, tu empestes le vin. Ensuite tu vas rester ici, cachée, pendant deux jours.

— Pourquoi ?

— Jusqu'à ce que nous soyons suffisamment éloignés de l'Attique et qu'il soit trop tard pour faire demi-tour. Je t'apporterai la nuit du lait et des galettes.

— Et du miel, ajoute Chrysilla.

— Et quoi encore ! explose Timoklès. Des anchois de Phalère, des pâtés de grive, de la salade à l'ail ! »

Chrysilla baisse les yeux.

« Ne te fâche pas. Il n'y a que toi qui puisses m'aider.

— J'essaierai. »

*
* *

Trois jours plus tard, le navire se dirige vers la Macédoine. De là, il ira à Byzance où Kallias retrouvera Dicéopolis. Puis Oloros s'aventurera sur la mer Noire. Au-delà s'étendent des terres mal connues, où il fait si froid qu'on ne doit pas être loin du bout du monde.

L'air est clair et léger, la brise gonfle la grande

et unique voile. Oloros, debout à la proue du navire, contemple les flots qui bouillonnent autour de l'étrave dans un bruissement doux. Puis il se tourne vers Timoklès et Kallias qui se tiennent auprès de lui dans un silence inaccoutumé.

« Poséidon a aplani la mer immense. Nous lui ferons un sacrifice demain matin.

— Père, dit Timoklès, que la faveur du dieu rende ton cœur bienveillant. »

Oloros lui jette un regard rapide.

« Que veux-tu ? Parle », dit-il de son ton impatient.

Timoklès juge inutile de faire des discours préparatoires.

« Chrysilla est partie avec nous. Elle est cachée dans un tonneau », avoue-t-il très vite.

Les yeux d'Oloros étincellent, comme l'éclair avant-coureur de l'orage.

« Jette le tonneau à la mer et confie-la à la faveur des dieux. Peut-être auront-ils pitié de son audace.

— Je sauterai avec elle », rétorque Timoklès sans réfléchir.

Oloros se retourne, flamboyant de colère.

« Tu oses outrager ton père ? Crois-tu qu'une telle impudence puisse rester sans châtiment ? »

Timoklès baisse les yeux en rougissant. Oloros, le visage douloureux, lève les yeux vers le ciel.

« O Zeus, pourquoi t'acharnes-tu à percer mon cœur ! N'ai-je pas assez souffert d'être chassé de ma cité ! Dois-je voir maintenant mes enfants se dresser contre moi ! »

Kallias prend la parole de sa voix chantante.

« Calme ta fureur, Oloros, car ton âme sera déchirée de douleur en l'absence de tes enfants.

— Qu'est-ce qu'un discoureur comme toi peut connaître de mes pensées ? rétorque Oloros avec colère.

— Suffisamment pour savoir qu'elles sont perspicaces et justes. Chrysilla étouffe dans la vie que lui réservent nos lois. Mais elles ne sont pas éternelles. En d'autres pays, les filles connaissent un sort différent. À Sparte, elles courent dans les jeux en montrant leurs cuisses nues. En Grèce d'Ionie, beaucoup reçoivent une éducation soignée et vont à l'école comme les garçons. Un esprit aussi éclairé que le tien, à la veille d'un voyage aussi ambitieux, ne peut ignorer la variété des mœurs et des coutumes.

— Tu es un as de la parole, Kallias et tu

t'exprimes habilement. Certainement beaucoup de coutumes à Athènes changeront. Mais dans aucun pays, et à aucune époque, il ne sera juste de voir les enfants s'opposer à leur père. »

Puis Oloros tourne vers l'horizon son visage douloureux. Longtemps il regarde la mer scintillante avant de déclarer d'un ton sans appel :

« Au prochain port, Timoklès et Chrysilla repartiront pour Athènes. »

*
* *

En fin d'après-midi, Zeus aux sombres nuées soulève un mauvais vent. De terribles rafales font pencher dangereusement le navire. Une forte houle recouvre la mer furieuse. Bientôt de grands éclairs traversent le ciel.

« Zeus tonne, dit le capitaine.

— Rejoins la côte au plus vite », ordonne Oloros.

Les marins affalent la voile tandis que les rameurs tentent de lutter contre les vagues déchaînées. Un aigle venant de la gauche annonce le courroux du père des dieux.

« O Zeus, prie Oloros, retiens ta foudre écla-

tante jusqu'à ce que nous rejoignions un port.
Nous te ferons le sacrifice d'une hécatombe pour
calmer ta colère. »

Mais la haute houle continue à secouer le
navire comme un fétu. Deux rameurs déjà ont été
entraînés par la violence des flots. La tempête,
toujours si soudaine sur cette mer Égée imprévi-
sible, redouble de fureur. Les vagues immenses
retombent sur le pont du navire qui commence
à prendre l'eau. Oloros donne es ordres de sau-
vetage.

« Jetez à la mer tous les objets inutiles. Que

chacun, à l'aide d'une corde, attache son corps à une planche de bois. »

Puis, saisissant une planche, il s'avance vers l'arrière du navire. Il soulève le couvercle de tous les tonneaux jusqu'à ce qu'il découvre Chrysilla, tremblante de peur. Sans un mot, il l'attache fortement à la planche de peuplier. Il retourne ensuite au milieu du bateau pour donner les ordres nécessaires à la sécurité de chacun. Voyant que son père, commandant à tous, ne fait rien pour se sauver, Timoklès lui crie :

« Père, accroche-toi au mât ! »

Un sourire d'une étrange tendresse passe sur le fier visage d'Oloros. Mais un craquement terrible se fait entendre. Timoklès sent un objet frapper violemment sa tête et perd connaissance.

6

Le marché aux esclaves

Il fait nuit lorsque Timoklès rouvre les yeux. Il est sur un bateau inconnu, assis contre un mât où ses mains sont attachées. Sa tête le fait terriblement souffrir. Les vagues clapotent fortement au-dessous de lui. De gros nuages noirs courent dans le ciel, dégageant puis recouvrant la lune. Quand il y a suffisamment de clarté pour discerner ce qui l'entoure, il remarque une petite crique déserte où le bateau est amarré. À la proue du navire, une large silhouette balance une lampe à huile comme pour adresser un signal. Tout est silencieux.

La douleur de sa tête l'engourdit et Timoklès se remet à somnoler. Soudain, il sursaute. Il lui a semblé entendre, dans le mugissement des vagues, la voix de Chrysilla. Aux aguets, l'oreille tendue, il écoute les bruits de la nuit. Mais seuls lui parviennent le grondement de la mer agitée et les rafales irrégulières. Puis, emporté par le vent rapide, résonne la voix claire :

« Pirates ! Canailles ! »

À nouveau le bruit du vent et des vagues. Enfin une phrase plus proche :

« Votre corps deviendra rouge de sang ! »

Une flamme de joie brûle dans sa poitrine. C'est bien Chrysilla qu'il entend. C'est bien sa chère sœur qui profère des mots aussi aimables. Elle doit se trouver dans une barque que l'on conduit vers son navire. Mais ont-ils vraiment été ramassés par des pirates ? Ou s'agit-il d'un excès de langage ?

Le son maintenant se rapproche. Il entend distinctement une voix d'homme :

« Vas-tu te taire, langue de vipère ! »

Puis le claquement d'un fouet suivi de sanglots.

126

L'homme à la lanterne s'approche de l'arrière du navire. Timoklès distingue maintenant les jambières de peaux de bête et la cuirasse métallique. C'est un pirate. La barque cogne contre la coque.

« Vous en avez mis du temps pour la ramener, dit le pirate à la lanterne.

— C'est une anguille, cette fille-là. »

Une autre voix, venant aussi de la barque, ajoute :

« Au premier rayon de lune, elle a plongé pour rejoindre la rive. Sur terre, elle est rapide comme un épervier. Heureusement qu'elle s'essouffle vite, sinon on ne l'aurait jamais rattrapée.

— On s'en débarrassera à Samos, dit le pirate à la lanterne. C'est bientôt la nouvelle lune. »

Deux pirates aux tuniques étincelantes attachent maintenant Chrysilla au mât. Dès qu'ils se sont éloignés, Chrysilla dit entre deux sanglots :

« Je ne savais pas qu'ils t'avaient capturé. Sinon je ne me serais pas enfuie. Ils vont être plus cruels, maintenant.

— Non. Cela ne changera rien à ce qu'ils nous réservent. »

Après un moment, il ajoute :

« Tu ne sais pas ce que sont devenus notre père et Kallias ?

— Non. Tout le monde est tombé à la mer. » Chrysilla sèche ses larmes et demande :

« Où est-ce, Samos ?

— C'est une île d'Ionie.

— Qu'est-ce que c'est l'Ionie ?

— Ce sont les cités grecques d'Asie, de l'autre côté de la mer Égée. Je te l'ai déjà dit.

— Elles sont libres ?

— Elles étaient libres. Les Perses en ont écrasé beaucoup.

— Ils ont écrasé Samos aussi ?

— Je ne sais pas », répond Timoklès.

Et les deux enfants, abattus par ce détour imprévu du destin, restent silencieux. Chacun espère follement en son cœur que Samos sera restée une cité libre, car alors ils pourront bénéficier de la protection que les lois assurent aux étrangers.

*
* *

Pendant plusieurs jours, le navire vogue près des côtes, mouillant toujours dans des endroits déserts. Toutes les nuits, Timoklès observe la lune aux mystérieuses taches noires. Le cœur serré, il voit décroître l'astre d'Hécate. Bientôt, ce sera la nouvelle lune. Il a compris que les pirates les destinent au marché aux esclaves. Celui-ci doit se tenir à Samos, comme à Athènes, le jour où la lune se lève ronde et noire. Mais il n'a rien dit à Chrysilla car il est inutile de l'effrayer par avance. Il trouve que c'est un sort bien éprouvant pour une fille qui ne sait rien du monde. Pour la divertir, il lui raconte chaque jour les épisodes de la guerre de Troie qu'il récitait par cœur à l'école. Malheureusement, il a beaucoup oublié ce qu'il avait déjà si négligemment appris.

Un soir apparaît l'île de Samos. Elle est vaste, traversée d'est en ouest par une chaîne de montagnes. La ville se dresse au bord de la mer, contrairement à Athènes qui s'est cachée à l'intérieur des terres pour éviter les pirates. Il faut dire que la cité de Samos est fort bien défendue : elle est adossée à une colline qui la protège à l'arrière et complètement entourée de hauts remparts. Il doit être difficile d'y entrer comme d'en sortir. Mais la cité n'a pas l'air détruite. Timoklès sourit de soulagement et murmure à sa sœur :

« Les Perses ne sont pas passés par là. »

Dans le port, il y a une construction que Timoklès n'a rencontrée nulle part. C'est une sorte de grand môle, de plus de deux stades de longueur, qui s'avance dans la mer pour briser les vagues. Ainsi, à l'abri des caprices des flots, les bateaux tanguent paisiblement. Sur le quai, en revanche, la foule paraît très agitée. Les discussions vont bon train sur la façon dont les Perses ont dévasté les cités grecques d'Ionie qui se sont révoltées contre le Grand Roi. Des bribes de ces conversations parviennent jusqu'aux enfants.

« Ils sont vraiment barbares ! » commente Chrysilla.

Timoklès soupire devant son ignorance, sans la lui faire cependant remarquer.

« On n'est pas barbare parce qu'on tue des ennemis qui se révoltent !

— Pourquoi alors ?

— Parce qu'ils ne se mettent pas nus pour pratiquer les jeux du stade. »

Chrysilla fait une moue de dégoût.

« Tu veux dire que leur peau est blanche et molle ? »

Et tous deux se mettent à rire à l'idée d'un spectacle aussi inesthétique.

Le lendemain, au premier chant du coq, quand l'ombre de la nuit s'enfuit à l'horizon, les pirates détachent leurs prisonniers et les font descendre sur le quai. Timoklès a longuement expliqué son plan à Chrysilla. Dès qu'ils seront sur la place publique, ils se précipiteront dans le temple de Zeus où les étrangers peuvent trouver asile. Ils franchissent la lourde porte de bois qui ferme la ville. Un dernier doute trouble Timoklès.

« Samos est bien une cité libre ? » demande-t-il au pirate.

Le pirate émet un ricanement lugubre.

« Pourquoi, alors, t'aurais-je amené ici ? Cela fait longtemps que Samos s'est soumise au roi des Perses. Elle a préféré donner la terre et l'eau à Darius plutôt que d'être écrasée par son armée. »

Les deux enfants, la gorge nouée, entendent leur dernier espoir s'échapper.

« Ne t'inquiète pas, on trouvera un moyen de s'évader, murmure Timoklès.

— Certainement », répond bravement sa sœur.

Tous deux sont conduits sur la grande place

centrale où sont regroupés une cinquantaine d'hommes et de femmes. Ils viennent de tous les coins du monde : les uns sont très pâles avec des yeux bridés, d'autres secs et noueux avec de longs visages étroits, d'autres ont les cheveux frisés. Timoklès et Chrysilla se retrouvent à côté d'un nain à la peau noire qui ouvre de grands yeux verts effrayés.

« D'où viens-tu ? lui demande Timoklès.

— D'Égypte.

— Comment es-tu venu ici ?

— Il y a eu une révolte contre le satrape perse.

— Parce qu'il y a aussi des Perses en Égypte ! »

Le nain se contente de marmonner :

« Le malheur a fondu sur moi, avec la férocité du vautour et la rapidité de la gazelle. »

Timoklès se souvient des paroles de son père : l'ambition du Grand Roi est sans limites.

Comme si elle voulait illuminer leurs dernières minutes de liberté, l'aurore empourpre les remparts de Samos. Alors s'ouvre le marché aux esclaves. À côté des acheteurs, beaucoup de badauds se pressent joyeusement pour se divertir de la mise aux enchères.

C'est au tour de Timoklès et de Chrysilla de

monter sur le tréteau. Le pirate vante sa marchandise :

« Admirez ! Admirez un frère et une sœur éclatants de santé ! Un vrai cadeau des dieux !

— Cinq mines pour les deux ! propose un acheteur.

— Cinq mines ! fait le pirate scandalisé. Une marchandise pareille vaut plus de cinq cents drachmes. Regardez leur beauté et leur force. La fille court aussi vite que l'épervier.

— Trois mines pour la fille ! » dit un homme.

Chrysilla est épouvantée.

« Je ne veux pas qu'on nous sépare !

— Quatre mines ! propose un autre homme.

— Cinq mines ! » ajoute un troisième.

La foule s'émeut d'une telle somme. Si on fait ainsi monter les prix, les esclaves vont devenir inabordables. Il est vrai que la fille est bien jolie.

Le pirate, par contre, est satisfait.

« C'est bon, tu peux la prendre ! »

Timoklès s'écrie d'une voix forte :

« Achète-moi avec ma sœur. Je ferai tout ce que tu voudras. Je serai un bon esclave. »

L'homme secoue la tête.

« Je veux seulement la fille. »

Il donne les pièces d'argent au pirate et tend la main pour saisir Chrysilla.

« Ne me laisse pas partir toute seule ! supplie Chrysilla, éplorée.

— Ne t'inquiète pas ! » lui répond son frère.

Et immédiatement Timoklès saute sur les épaules de l'homme et le renverse sur le sol. Tous deux roulent à terre. Le pirate lève vainement son fouet au-dessus de la bagarre, craignant de frapper le généreux acheteur en voulant atteindre Timoklès. Chrysilla soutient son frère comme elle le peut.

« Vas-y, Timoklès ! Sépare-lui la tête du corps ! »

La foule, heureuse d'un incident aussi passionnant, se rassemble autour de la bagarre. Chacun, selon ses préférences, encourage l'un ou l'autre. Mais dès que le pas régulier des archers se fait entendre, elle se disperse aux différents coins de la place.

Les archers séparent les combattants. C'est alors que s'avance, dans le respect général, un homme au visage lourd et massif, portant des bagues aux doigts et une cigale d'or pour retenir ses cheveux dans la nuque.

« Que se passe-t-il ? »

Le pirate lui parle avec déférence.

« Cet esclave s'est battu avec l'acheteur de sa sœur.

— S'il l'a payée, qu'il l'emmène », décide l'homme considérable.

L'acheteur, ravi, attache les mains de Chrysilla et la tire derrière lui.

« Je te retrouverai, Timoklès, crie Chrysilla d'une voix désespérée.

— Je jure par les dieux que nous nous retrouverons », crie à son tour son frère.

Et il suit des yeux jusqu'au dernier moment la gracieuse silhouette qui se tient très droite dans l'adversité.

L'homme à la cigale d'or s'approche de Timoklès et le dévisage de très près.

« Ouvre ta bouche, que je voie si tu as toutes tes dents. »

La rage au cœur, Timoklès répond avec dédain :

« Je ne suis pas un cheval ! »

Le pirate lui donne un coup de fouet et lui dit :

« On ne parle pas comme cela au tyran de Samos.

— Que Zeus détruise les tyrans », rétorque le garçon, aveuglé par la colère et la tristesse.

Le tyran ricane.

« D'où viens-tu, pour être si insolent ?

— Je suis Timoklès, fils d'Oloros, du dème du Céramique. »

Le tyran a un rictus amer.

« Un Athénien ! Toujours la même chose : turbulence, orgueil et bavardage ! »

Le pirate s'incline avec obséquiosité.

« Veux-tu que je le fouette jusqu'au sang pour t'avoir insulté ?

— Je le punirai moi-même. Je te l'achète pour une mine. Une tête aussi dure ne vaut guère plus. »

Le pirate, trop content d'avoir réussi à vendre un esclave aussi rebelle, le lui cède aussitôt.

« Qu'on lui mette un carcan », ordonne le tyran à sa suite.

Deux serviteurs viennent aussitôt accrocher autour du cou du garçon un gros collier de bois d'où pend une lourde chaîne et commencent à le tirer comme un bœuf récalcitrant.

« Emmenez-le à la mine de cuivre, ordonne le tyran.

— Je me vengerai », lui crie Timoklès en s'éloignant.

Le tyran lui répond avec un mauvais sourire :
« Tu n'en auras jamais l'occasion. On ne sort
de la mine de cuivre que pour aller aux enfers. »

*
* *

Tandis qu'on l'emmène hors des remparts, Timoklès se sent envahi par une détresse sans fond. Le sort qui l'emportait si joyeux vers l'Océan s'est retourné trop brutalement contre lui. Il revient inlassablement sur le déroulement des jours précédents, comme s'il ne pouvait pas comprendre qu'on puisse perdre, en un temps si bref, son père, son ami, sa sœur et sa liberté. Est-ce cela que lui annonçait la Pythie dans son langage obscur ? Son regard d'esclave verra-t-il le désastre des Athéniens comme l'ont indiqué les amis de Kallias ? Pourquoi les dieux se sont-ils acharnés contre sa famille avec tant de cruauté ?

*
* *

La mine de cuivre se trouve au pied de la chaîne de montagnes. Au loin, on peut apercevoir la colline derrière laquelle s'adosse la cité de Samos. Les esclaves sont répartis en trois groupes : ceux qui traitent le minerai en le broyant dans des mortiers, ceux qui le transportent, mélangé à la terre, dans de lourds paniers, et les mineurs proprement dits, qui creusent les galeries souterraines. Le soir, tous sont parqués comme du bétail dans un enclos entouré de hautes palissades où l'on dort à la belle étoile.

Jamais Timoklès n'a vu une misère aussi effroyable : corps décharnés, zébrés par les longues cicatrices des coups de fouet, regards fixes et vides, gestes automatiques sous les insultes permanentes des gardiens.

Le régisseur le destine à la mine qui est le travail le plus éprouvant. Il lui enlève son carcan et le conduit au puits. Des hommes et des femmes, courbés sous des couffins emplis de terre, remontent à la lumière du jour, le visage noir de poussière et les yeux égarés.

« Prends ce pic et descends, ordonne le régisseur. Tu creuseras dans la deuxième galerie de droite. Et je te préviens : si tu renâcles à la tâche, tu seras fouetté jusqu'au sang. Si tu t'obstines, tu seras privé de nourriture. Si tu cherches à t'enfuir, tu seras tué. »

Timoklès est trop accablé pour réagir. Il descend l'échelle de bois, suivi par deux compagnons de misère qui portent des couffins vides.

Au fond du puits, la terre résonne de coups de pioche. Timoklès a du mal à s'habituer à l'obscurité. Enfin, il discerne l'ouverture des galeries. Elles sont extrêmement basses. Leur plafond atteint à peine le haut de ses genoux. Il s'accroupit. Au fond de la galerie, une petite lampe à huile, accrochée à la voûte, dégage autant de fumée que de lumière. Un mineur sort du premier couloir, toussant et crachant, vite remplacé par un autre.

« Si tu prends cette galerie-là, dit-il, fais attention aux effondrements. Hier un esclave a été étouffé sous la terre. »

Timoklès commence son travail. Il doit ramper pour avancer. Les hommes aux couffins vides le suivent pour ramasser la terre derrière lui. Au fond de la galerie, couché sur le sol, ayant à peine l'espace suffisant pour remuer les bras, Timoklès commence à frapper la paroi avec son pic. La poussière remplit ses yeux et l'air est si raréfié qu'il a du mal à respirer. Le travail demande un tel effort et une telle attention qu'il n'a plus le temps de s'apercevoir que l'espoir a quitté son cœur.

*
* *

L'acheteur de Chrysilla ne l'a pas gardée pour lui. Il vient de la revendre, sept mines, à l'intendant du palais. C'est dans un appartement privé de cette vaste et luxueuse demeure qu'il conduit Chrysilla.

« Entre, dit-il. Ta maîtresse t'attend. »

Chrysilla ouvre la porte. La pièce, éclairée par trois petites fenêtres, est emplie de parfums. Une femme jeune est allongée sur un divan. À ses pieds, une musicienne joue de la harpe. Chrysilla, intimidée, se tient sur le seuil.

« Quelle jolie esclave ! fait la femme visiblement ravie. Mais viens près de moi que je t'examine mieux. »

La nouvelle esclave s'avance à pas rétifs.

« Tu es vraiment belle, commente la maîtresse. Mais souris donc. Je veux que tu sois tout le temps gaie et heureuse. Car si tu gardes ce visage de désolation, je te revendrai aussitôt. »

Chrysilla esquisse péniblement un sourire d'allégresse.

« Voilà, dit la femme satisfaite. On m'appelle Tanagra, car je viens de Tanagra en Béotie. Tu connais la Béotie ?

— Non. Je connais Athènes et Brauron où j'ai été petite ourse au temple d'Artémis. »

Tanagra est enchantée.

« Alors, je t'appellerai petite ourse. D'ailleurs, cela te va très bien : tu es tellement sauvage ! »

Et elle se tourne vers la musicienne :

« Va vite chercher des friandises. »

La musicienne revient avec des figues, des noix et des petits gâteaux de miel. Tanagra les éparpille sur la tête de Chrysilla pour accomplir le rite qui intègre un esclave à une famille.

« Ton nom est petite ourse. Dorénavant, tu appartiens à ma maison. »

Chrysilla est interloquée.

« Mais je ne suis pas une esclave. Je suis la fille d'Oloros, du dème du Céramique. »

Tanagra a un petit geste rapide de la main pour écarter toute discussion, et jette avec insouciance :

« Personne ne peut échapper au sort que fixent les dieux.

— Nous avons fait naufrage ! » reprend Chrysilla qui persiste à vouloir expliquer ses mésaventures.

Tanagra l'interrompt d'un ton plaintif mais ferme.

« Surtout, ne me raconte rien. Tu as certainement vécu des moments atroces, et cela me ferait pleurer. Et je ne dois absolument pas abîmer mes yeux. »

Déconcertée, Chrysilla observe avec plus d'attention sa maîtresse. Elle s'est allongée à nouveau. Elle est petite et d'une tournure charmante. Sur son visage fin, l'expression enfantine et rieuse se change, à la moindre contrariété, en une petite moue butée. Elle lui dit d'un air gourmand :

« Tu danseras pour moi la danse de l'ourse !

— Je n'ai pas ma peau de bête », répond Chrysilla toujours maussade.

Tanagra sourit.

« Je t'en trouverai une. Je peux obtenir tout ce que je veux. »

La nouvelle esclave s'exclame avec vivacité :

« Alors, tu pourras savoir qui a acheté mon frère ? »

Sa maîtresse soupire.

« Que tu es fatigante ! Oublie le passé... oublie et sois heureuse ! Il n'y a de bonheur que dans l'instant. »

Voyant que Chrysilla a les larmes aux yeux, elle ajoute d'un ton attendri :

« Si tu fais bien ton travail, j'essaierai d'apprendre où est ton frère.

— Quel sera mon travail ?

— Tu me tiendras tout le temps compagnie dans le gynécée. Tu ne sortiras jamais et t'occuperas exclusivement de moi. »

Puis Tanagra jette sa tête en arrière d'un petit mouvement ravissant. Elle ferme les yeux pour mieux s'enchanter du programme de sa nouvelle esclave.

« Tu oindras mon visage de blanc de céruse et de rouge d'orcanète. Tu peindras mes yeux, tu teindras mes cheveux, tu m'épileras à la cendre chaude, tu prépareras mes parfums, mes bains, mes huiles odorantes... »

Puis, elle se redresse avec coquetterie pour expliquer :

« Je dois plaire, tu comprends.

— Plaire à qui ?

— À Aiacès, le tyran de Samos, confie-t-elle d'un ton charmant. Je suis sa concubine préférée. »

7

L'as de la parole
exerce ses talents

Après le naufrage, Kallias a été repêché par un navire perse. Comme une épidémie de dysenterie ravageait l'équipage, le capitaine lui a commandé de remplacer un rameur. Depuis plusieurs jours, Kallias tire sur les lourdes rames de bois.

Ce jour-là, ils viennent de quitter l'île de Samos où ils ont passé la nuit. Le navire se dirige maintenant vers l'Ionie. La traversée, pourtant courte, paraît à Kallias éternelle. Ramer est un travail harassant pour celui qui n'est pas habitué à l'effort physique. Les mains de Kallias sont pleines d'ampoules, ses membres douloureux, et le sang bat dans sa tête comme un marteau sur l'enclume d'une forge. Le jeune homme a peur de mourir.

Ce sont les cris de joie des marins qui mettent fin à ce supplice. Massés à l'avant du bateau, ils s'extasient sur une épaisse fumée noire qui s'élève de la côte. Les rameurs, qui sont tous des esclaves capturés pendant les campagnes du Grand Roi, commentent à voix basse :

« Ils ont brûlé la ville !

— Quelle ville ?

— Milet, la perle de l'Ionie !

— Elle n'aurait pas dû se révolter. Les Perses sont invincibles. »

Le bateau se fraie lentement un passage à travers les nombreux navires de guerre qui encombrent le port de Milet. Kallias, bien décidé à sortir de cet enfer maritime, examine les lieux, les gestes, les visages.

Sur le promontoire où se tenait la perle de l'Ionie, il n'y a que ruines et décombres fumants. Tout autour, les arbres et les récoltes ont été brûlés. Sur les berges, s'installe pour la nuit, dans un grand vacarme de triomphe, l'armée perse, l'armée éclatante d'or.

Ils sont réellement splendides, les soldats de Darius : sur de longues robes brodées, aux vastes manches et aux couleurs vives, sont posées des cuirasses dont les lamelles de fer ressemblent à de brillantes écailles de poisson. Sur la tête, une tiare, sorte de bonnet de feutre, laisse apparaître de longues boucles d'oreilles. Des bracelets, des bagues, des colliers agrémentent la tenue militaire. Les soldats ont déposé sur le sol leurs boucliers d'osier tressé, leurs carquois pleins de flèches de roseau, et leurs lances dont l'extrémité est décorée de grenades d'or.

Des cris de lamentation s'élèvent au fond du port. Ce sont des fuyards grecs que les soldats ont rattrapés et qu'ils rassemblent à l'intérieur d'un cercle de corde. Ils seront déportés, selon l'usage, dans une autre région de l'immense empire de Darius. Cet empire est divisé en provinces, nommées satrapies. À leur tête se trouve un gouverneur, nommé satrape. La ville de Milet dépend du satrape de Sardes.

Le navire de Kallias accoste le quai et la file des rameurs commence à descendre sur la terre ferme. Kallias cherche avidement une occasion de s'enfuir. Mais les rameurs sont étroitement surveillés par des gardiens brutaux. D'ailleurs il est un si mauvais coureur qu'il ne saurait aller bien loin. Il doit saisir la première opportunité venue. Laquelle ? Il n'en sait rien encore. Mais il ne quitte pas des yeux la foule qui se presse sur le port.

Voilà que cette foule se met à crier d'allégresse, et, dans une grande bousculade, s'écarte pour laisser passer un magnifique cavalier. Portant une cuirasse d'écailles d'or, une tiare brodée de fil d'argent, il salue avec condescendance le peuple qui l'acclame. C'est le satrape de Sardes.

Les soldats victorieux se lèvent à son approche et les ovations redoublent. C'est alors qu'un chien, fou furieux, se précipite sur la monture du satrape et lui mord cruellement la jambe. Le cheval pousse un hennissement affolé, se cabre brutalement et précipite par terre son glorieux cavalier. Les soldats, stupéfaits, baissent la tête. Le peuple recule, effrayé devant ce signe de la colère du ciel. La suite personnelle du satrape demeure indécise et craintive et le laisse effondré sur le sol.

Rapide et décidé, Kallias saisit aussitôt cette occasion de sauver sa vie. Profitant du désarroi général, il apostrophe la foule de sa belle voix chantante :

« Perses, qu'attendez-vous pour punir ce

cheval insolent ? Supporterez-vous qu'il ose s'effrayer d'un chien à l'heure où votre chef, magnifique, a écrasé l'impudente révolte des Grecs ? Coupez les jambes de ce lâche animal ! Et qu'on se répète, dans toutes les provinces, que la mort est le seul châtiment pour ceux, bêtes ou hommes, qui tentent de ternir la gloire du Grand Roi. »

Comme la fumée se renverse sous l'effet d'un vent changeant, l'assistance, délivrée de ses craintes et enthousiasmée par l'autorité de l'orateur, crie de toutes parts :

« Coupez-lui les jambes ! Coupez-lui les jambes ! »

Quatre poignards scintillent dans la lumière du soir, tranchent les genoux du cheval qui s'abat dans des éclaboussures de sang.

On relève le satrape qui retrouve toute sa dignité.

« Qui es-tu, étranger ? D'où viens-tu, toi, dont la parole clame haut la vérité ?

— Je suis Kallias, repêché par un de tes navires à la suite d'un naufrage qui a failli me coûter la vie. Je n'ose te dire d'où je viens, de crainte d'enflammer ta colère.

— Parle.

— Je viens d'une cité bavarde et frivole, qui, dans sa légèreté et son aveuglement, a aidé, un moment, les révoltés de Milet. »

Le satrape devient méfiant.

« Tu es athénien ! »

Kallias le rassure aussitôt.

« J'ai quitté cette ville présomptueuse pour venir apporter au Grand Roi mes services. Car il n'y a pas de plus grand bonheur que de servir le roi des Perses. »

Le satrape sourit d'un air fat.

« J'ai toujours dit à Darius que nous avions chez les Grecs plus d'amis qu'il ne le pensait. Tu m'aideras à le convaincre.

— Seigneur, dit modestement Kallias, tu n'as certainement besoin de personne pour faire croire en tes paroles. Mais si tu estimes que je peux contribuer à ton entreprise, tu peux être assuré de ma fidélité. »

Le satrape est visiblement enchanté.

« Tu resteras avec moi. »

Le capitaine qui a capturé Kallias s'approche avec humilité :

« Maître, dit-il, me donneras-tu quelque chose pour cet homme que j'ai arraché à la mer ? »

Le satrape de Sardes se tourne vers son trésorier.

« Emmène-le sous la tente où est rassemblé le
butin que nous avons pillé dans la ville. Laisse-le
choisir ce qu'il voudra. »

Le trésorier grommelle sa désapprobation
devant tant de largesse, mais le satrape lui murmure :

« Le service que ce Grec va me rendre n'a pas
de prix. »

Quant au capitaine, il regarde, sidéré, son
ancien esclave : comment un être aussi chétif
peut-il avoir tant de valeur ?

Avec beaucoup d'égards, Kallias est conduit
jusqu'à la tente du satrape. Et tandis qu'il
marche, courbatu et douloureux, il rit secrètement de son pouvoir : oui, la parole est plus puissante que le sabre, que le feu, que les chaînes. Ni
l'or ni les armes des Perses ne vaincront jamais
le pouvoir de l'esprit. De cet esprit qui brille chez
les Grecs de mille éclats variés : drôle, tragique,
insolent, curieux, profond. Et sur cette terre
ravagée, fumante encore du triomphe du Grand
Roi, les discussions, les interminables discussions
des hommes libres d'Athènes, lui paraissent s'élever vers le ciel comme un chant de victoire.

*
* *

Le succès de Kallias n'est pas sans inconvénient. Certes, il a échappé au travail harassant de rameur, mais il n'est pas libre pour autant. Le satrape de Sardes ne peut plus se passer de lui. Cela fait des semaines qu'il doit l'entretenir sans cesse de conseils et d'avis. Et dès qu'il cherche un peu de solitude, des serviteurs le suivent constamment pour épier ses gestes et ses paroles. Et Kallias est fatigué de chanter la gloire du roi des Perses. Fatigué de mentir. Mais comment pourrait-il retourner dans sa patrie ?

Un soir d'automne, le satrape se confie à lui :

« Je t'ai fait surveiller, Kallias, pour m'assurer de ton amitié et de ton dévouement. Maintenant je sais que tu es un véritable ami. »

Le jeune homme sourit en acquiesçant de la tête.

« Aussi je vais t'exposer mon dessein. Mais auparavant, réponds franchement à ma question : ai-je l'âme d'un grand chef militaire ?

— Certainement, répond prudemment Kallias.

— Je suis heureux que tu sois de mon avis. C'est pourquoi je dois faire une conquête nouvelle afin de l'offrir à Darius. Je veux lever une armée pour partir en guerre contre Athènes et les cités grecques. »

Kallias tressaille intérieurement et garde un calme apparent.

« Seul un projet aussi audacieux est digne de tes talents. »

Le satrape sourit avec malice.

« Pour cela j'ai besoin de toi. Par tes paroles habiles, tu m'aideras à convaincre le Grand Roi de la nécessité de cette guerre. Aussi tu vas m'accompagner jusqu'à Suse, où se trouve son palais. »

Kallias s'affole à la perspective de s'éloigner encore davantage de son pays.

« Ton courage et ta sagesse te suffiront pour convaincre le roi, suggère-t-il.

— Je sais ce que je dis, répond le satrape d'un ton péremptoire. Nous partirons dans huit jours, pour éviter la neige. »

Puis il se lève, en faisant signe d'entrer aux deux serviteurs qui suivent constamment le jeune homme. Sur le seuil de la porte, il ajoute :

« Et ne trompe pas ma confiance ! Car ta mort seule me consolerait du chagrin de ta trahison. »

Un grand tumulte s'élève dans le cœur de Kallias. S'enfuir ? Mais comment ? Que faire d'autre ? Il rumine longtemps les projets les plus extravagants. Puis, dans son esprit habile, grandit un dessein téméraire. Il se rendra à Suse, et là, il rendra ses ruses encore plus subtiles, ses mensonges encore plus audacieux, ses discours encore plus convaincants, pour obtenir, mais oui, pourquoi pas, pour obtenir que le Grand Roi lui-même le renvoie à Athènes. Et Kallias, partagé entre l'espoir et la crainte, tourne et retourne les arguments qui lui permettront d'atteindre son but.

*
* *

Timoklès aussi désespère de revenir dans sa patrie. Il ne voit pas la fin de son cauchemar. Au début, il a été accablé par le travail dans les galeries et la terrible chaleur de l'été. Il se couchait, hébété et stupide. Puis il a essayé de savoir où se trouvait sa sœur. Mais les esclaves, abrutis de fatigue, ne sont pas bavards. D'ailleurs, ils ne connaissent rien de Samos, ces hommes échoués ici par un hasard malheureux. Son seul plaisir était d'écouter le nain égyptien que l'on a affecté dans la mine à cause de sa petite taille. Il était d'une famille où l'on est danseur de père en fils depuis de longues générations et dont la spécialité est la danse du soleil. Il lui racontait de bien étranges histoires de son pays, où les pharaons se font construire de magnifiques tombes pour leur vie après la mort. Mais le nain est mort, écrasé sous un éboulement.

Toutes les nuits, Timoklès ressasse les mêmes questions : doit-il tenter de s'échapper, au risque d'être mis à mort ? Doit-il attendre encore, au risque d'être enseveli dans une galerie ? Peut-il s'enfuir en abandonnant Chrysilla ?

*
* *

Chrysilla est devenue très compétente en toilette. Elle sait friser les cheveux, poser les perruques, appliquer les crèmes, mélanger les baumes, maquiller les yeux et composer les huiles de bain qui détendent ou ravigotent ou embellissent le corps. Depuis trois mois elle est une esclave modèle, dans l'espoir d'apprendre des nouvelles de son frère.

Mais Tanagra, l'indolente Tanagra, ne sait toujours rien. Quant à s'adresser à Aiacès, il n'en est pas question. Lorsque celui-ci vient rendre visite à sa concubine, Tanagra interdit à la petite ourse de se montrer devant le tyran de Samos.

« Tu es trop jolie, répète-t-elle en riant. S'il te voit, il ne voudra plus de moi. »

Un soir, après avoir dansé la danse de l'ours, Chrysilla questionne à nouveau sa maîtresse :

« As-tu appris quelque chose sur mon frère ? »

Tanagra hoche la tête.

« Oublie, petite ourse, oublie. Tu n'es pas heureuse ici ? »

Alors le découragement, le chagrin, la détresse, envahissent comme une tempête le cœur de Chrysilla. Elle éclate en sanglots. Ce sont des pleurs qui n'en finissent pas, des pleurs qui viennent de toutes parts, de ses parents perdus, de son frère introuvable, de sa solitude, de sa situation d'esclave, de ses jambes qui ne peuvent plus courir, de l'avenir sans espoir. Toutes ces peines trop longtemps accumulées se bousculent comme un torrent, secouant tout son corps de violentes contractions.

Tanagra est affolée par un tel tremblement.

« Qu'as-tu, petite ourse, qu'as-tu ?

— Mon frère, reprend Chrysilla entre deux hoquets de larmes, où est mon frère ?

— Il est dans la mine de cuivre. Je le sais depuis longtemps déjà, mais je ne voulais pas te faire pleurer. Cela abîme le teint, ajoute-t-elle gravement.

— Où est la mine de cuivre ?

— Au pied de la montagne, à l'est de la ville.

— J'irai le voir. J'irai le retrouver. Je vivrai dans la mine de cuivre. »

Tanagra lui parle comme à un enfant tout petit : « C'est interdit d'aller dans la mine de cuivre.

— Je me cacherai, j'irai la nuit.

— La nuit, les portes de la ville sont fermées.

— Personne ne peut sortir ?

— Personne. Seulement les oiseaux et les rats. Les uns par le ciel, les autres par le canal d'Eupalinos. »

Chrysilla essuie ses yeux gonflés, renifle abondamment, et finit par demander avec plus de calme :

« Qu'est-ce que c'est, le canal d'Eupalinos ? »

Hélas ! Tanagra, voyant que Chrysilla retrouve son état normal, reprend aussitôt son comportement habituel.

« Tu me fatigues avec tes questions, petite ourse. Je vais m'allonger. J'ai attrapé une rougeur sur le bras. C'est toute cette émotion certainement. Va me chercher un baume. »

Depuis ce jour Chrysilla a retrouvé l'espoir. Patiemment, discrètement, têtue et obstinée, elle interroge les autres esclaves et les amies de sa maîtresse sur l'emplacement de la mine, la géographie de l'île, le plan de la ville et le canal d'Eupalinos. Ce canal est la fierté de la ville de Samos. Il a été construit, une trentaine d'années auparavant, par un architecte nommé Eupalinos, pour alimenter en eau les habitants de la cité. Pour réussir cet ingénieux projet, on a creusé, sous la colline qui domine la ville, un long tunnel de sept stades de long. À l'intérieur sont posés les tuyaux d'argile qui emmènent l'eau de la source extérieure aux remparts jusqu'aux fontaines de la cité.

Lorsque Chrysilla a glané suffisamment de renseignements, elle décide de passer à l'action. Une nuit, tandis que Tanagra dort profondément après un bain particulièrement assoupissant, la petite ourse soulève les tuiles du toit et sourit à l'air frais, aux étoiles, au doux zéphyr de la nuit. Puis elle se dirige d'un pas rapide vers la colline.

8

La chasse du tyran de Samos

Pendant que Chrysilla se dirige vers la mine de cuivre, Aiacès fait un rêve néfaste. Il se trouve près d'un étang où un cygne magnifique évolue gracieusement. Le volatile s'approche de lui et lui parle :

« Viens t'asseoir sur mon dos. »

Aiacès s'installe entre les chaudes ailes blanches qui l'emportent très haut dans la voûte céleste. Et tous deux vont d'étoile en étoile traversant les voiles blancs qu'Hécate fait traîner dans la nuit. Aiacès est content du voyage. Subitement, le cygne est pris de fou rire, un fou rire si violent qu'il en fait des nœuds avec son cou. Dans ses brusques sursauts d'hilarité, il projette en l'air son cavalier comme les balles que les enfants font rebondir sur un bâton. Aiacès se cramponne au corps de l'oiseau.

« Qu'est-ce qui t'arrive ? demande-t-il.

— Je pense que tu te crois le plus grand tyran de l'univers ! »

Et à l'idée de cette chose risible, il se met à tournoyer dans l'air comme une toupie. Aiacès lâche prise. Il commence à tomber, à tomber sans fin vers le disque sombre de la terre... jusqu'à ce qu'il se réveille en sueur.

Le tyran, terrifié, fait chercher immédiatement un devin pour savoir le sens de ce mauvais rêve. Heureusement pour le devin, encore tout endormi, le songe est facile à interpréter.

« Le cygne est l'oiseau d'Artémis et tu as certainement offensé la déesse.

— Mais comment ?

— N'as-tu pas négligé la chasse ? N'as-tu pas oublié de lui sacrifier les bêtes que tu as tuées ? Ignores-tu que c'est une déesse cruelle pour ceux qui la délaissent ? »

Aiacès est consterné.

« Que dois-je faire pour calmer sa colère ?

— Fais preuve, le plus vite possible, d'un grand zèle à son service. »

Aiacès décide donc, sans tarder davantage, de partir immédiatement à la chasse. Il fait préparer son cheval, son arc et ses flèches, et fait ouvrir les portes de la ville.

*
* *

Timoklès n'arrive pas à dormir. Un mineur encore est mort dans une galerie souterraine. Les esclaves se sont révoltés et les gardiens les ont cruellement fouettés. Il doit partir maintenant. Sinon, il n'en aura plus la force.

Le chuintement d'une chouette l'arrache à ses lourdes pensées. Où se trouve donc cet oiseau d'Athènes, compagnon d'infortune, égaré comme lui sur cette île lointaine ? Ce n'est pas une chouette qu'il découvre, mais la tête de Chrysilla qui émerge au-dessus de la clôture. Elle arrondit encore une fois sa bouche pour pousser un cri bref. Timoklès lève son bras pour lui faire signe. Chrysilla disparaît derrière la palissade.

Timoklès s'assure que les gardiens sont bien

endormis et rampe jusqu'à la clôture. Par l'interstice entre deux pieux, il chuchote :

« Chrysilla !

— Écoute-moi, chuchote-t-elle à son tour. Je suis chez la concubine d'Aiacès, le tyran de Samos, au fond de sa maison, près des figuiers. La ville est fermée la nuit mais je suis sortie par le canal d'Eupalinos sous la colline. Il est plein de rats et de belettes et j'ai eu terriblement peur. Demain, je reviendrai quand la lune monte dans le ciel et on s'enfuira. De l'autre côté de la montagne, il y a des bergers avec leurs troupeaux. On se cachera là.

— Je serai prêt. À demain.

— À demain. »

Et Timoklès, le cœur battant, implore les dieux que personne ne remarque sa sœur. Mais le silence retombe sur le camp des esclaves.

*
* *

Le tyran de Samos caracole derrière la colline en quête d'un animal à sacrifier à Artémis. Mais tout est étrangement calme en cette nuit d'automne. Toutefois, il y a plus étrange encore :

une silhouette blanche, dont les longues boucles brunes dansent sur les épaules, court d'un pas léger vers la ville. Aiacès fait galoper son cheval pour rattraper la surprenante jeune fille. Il a vite fait de la rejoindre et l'agrippe à l'épaule.

« Qui es-tu ? »

Chrysilla se débat pour se dégager de son étreinte.

« Laisse-moi tranquille ! Rustre, grossier personnage, tyran ! »

L'homme rit.

« Je suis le tyran de Samos, en effet. Un des plus grands de l'univers. »

Chrysilla reste interloquée par cette découverte et cesse de s'agiter en tous sens. Aiacès croit l'avoir impressionnée en déclarant son identité, et relâche sa main. Chrysilla en profite pour s'enfuir immédiatement.

Un méchant sourire glisse sur les lèvres d'Aiacès et l'éclair fauve du chasseur passe dans son regard. Il prend une flèche, tend son arc et s'écrie :

« Impudente fille ! Je te tuerai. »

La flèche frôle l'oreille droite de Chrysilla qui comprend avec terreur l'horrible jeu du cavalier.

Alors commence une course insensée. Le tyran

ne se dépêche pas de rejoindre sa proie. Il s'amuse à la voir courir en zigzag, ou se jeter à terre, pour éviter les flèches. Lorsqu'elle tarde à se relever, il lui crie :

« Allez, cours ! cours ! Fainéante ! »

Chrysilla est vite à bout de forces. Seule la peur de recevoir une flèche dans le dos ou dans les jambes lui donne l'énergie de courir encore. À la lisière du champ commence la forêt. Alors, oubliant les flèches qui sifflent autour d'elle, elle s'élance en ligne droite jusqu'aux arbres protecteurs. Là, elle se jette dans un buisson.

Il fait nuit noire. Les feuilles d'acanthe ont déchiré sa tunique et égratigné ses bras. Rien ne bouge autour d'elle. Le tyran a-t-il renoncé à la poursuivre ? Le temps passe. Elle aimerait bien rester dans sa cachette jusqu'au jour, malgré l'inconfort des épines. Mais elle doit rentrer chez Tanagra. On ne peut jamais prévoir de quelles colères sont capables ces femmes capricieuses. Elle la revendrait certainement.

Lorsqu'elle croit tout danger écarté, Chrysilla sort prudemment du buisson. Un morceau de sa tunique était resté accroché dans les ronces, indiquant sa présence. Heureusement elle ne voit ni cheval ni cavalier. Elle est sauvée. À ce moment-là, elle sent une lourde main tomber sur son épaule, et entend la voix goguenarde d'Aiacès.

« C'était très amusant ! Nous recommencerons la nuit prochaine. »

*
* *

Aiacès a enfermé Chrysilla jusqu'au soir dans une petite pièce sans fenêtre, près de sa chambre. La pauvre petite ourse ressasse dans sa tête ses chances de salut. Elles sont minces. Tanagra ne peut lui être d'aucun secours. Pire, si elle apprend que son esclave est dans l'appartement du tyran, elle sera folle de jalousie. À vingt-cinq ans, elle a très peur d'être vieille. Il ne sera pas possible non plus de semer le tyran à la course, puisqu'il est à cheval. Et Timoklès ! Timoklès qui va l'attendre toute la nuit. Son cœur se serre de douleur en l'imaginant impatient, déçu, inquiet, désespéré de ne point la voir arriver. Pourtant il n'y a que lui qui puisse la sauver. Comment ? Elle n'en a pas la moindre idée. Mais son frère est si courageux, si intrépide, si extraordinaire. Peut-être aura-t-il l'idée, ne la voyant pas arriver, de venir jusqu'au palais. Et dans cet espoir incertain, le seul qui lui reste, Chrysilla décide de gagner du temps.

*
* *

À l'heure où la nuit étend sur la terre son grand manteau noir, Aiacès ouvre joyeusement la porte.

« Tu est prête ?

— J'ai faim. Je n'ai pas mangé de la journée, gémit Chrysilla.

— Veux-tu quelques olives ?

— Je veux un vrai repas. On court mal le ventre vide. »

Aiacès, qui ne veut pas se priver du plaisir d'une chasse difficile, la fait entrer dans sa chambre où il commande un dîner. Un esclave apporte du thon et des légumes que Chrysilla mange avec une extrême lenteur.

Aiacès s'impatiente.

« Dépêche-toi. La lune s'est déjà levée. »

*
* *

Timoklès aussi contemple la lune qui monte dans le ciel. Aucun cri de chouette ne se fait entendre. Pourtant, il est prêt à partir. Il a travaillé le moins possible pour économiser ses forces, il a volé le poignard d'un gardien pour se nourrir pendant leur fuite, il s'est caché dans le coin le plus sombre du camp pour s'éclipser discrètement. Bientôt, il retrouvera la liberté, l'espace, le vent, la forêt que l'automne doit peindre de couleurs chaudes et douces.

Chrysilla n'arrive toujours pas, et ce retard lui paraît maintenant anormal et inquiétant. Un malheur a dû arriver. Et comme si Zeus lui-même voulait l'assurer d'un danger, un aigle apparaît à sa gauche. L'oiseau du père des dieux se dirige vers le camp, promène lentement son ombre immense sur les corps endormis, et s'éloigne vers Samos.

« Il m'indique le chemin », se dit Timoklès.

Et, sans hésiter davantage, il se hisse sur la balustrade. La nuit est claire. Dans le lointain se profile la colline sous laquelle est creusé le tunnel d'Eupalinos.

*
* *

Chrysilla ne sait plus qu'inventer pour prolonger le repas. Elle a demandé du vin, puis des gâteaux, puis des fruits, puis du lait. Aiacès est mécontent.

« Tu as trop mangé. Tu ne pourras plus courir. Il faut partir maintenant. »

Chrysilla prend l'air confus.

« C'est vrai. J'ai trop mangé. Il vaudrait mieux attendre demain.

— Insolente ! Tu t'es moquée de moi ! Je saurai te faire courir. »

À ce moment, tous deux entendent un long ululement.

« Une chouette ! s'écrie vivement Chrysilla. Laisse-moi la regarder ! Cela me rappellera mon pays. »

Et, redevenue rapide comme une anguille, elle se précipite à la fenêtre. Sous un figuier, accroupi dans l'ombre, Timoklès attend un signe. Alors sa sœur s'adresse à Aiacès, tout en parlant fort en direction du jardin.

« Grand tyran de Samos, je veux te faire plaisir. Te faire plaisir maintenant, avant que tu ne me tues. Je vais danser pour toi la danse de l'ours, celle que je dansais au temple d'Artémis. »

Au nom de la déesse aux vengeances cruelles, Aiacès se fait conciliant.

« Danse, si tu veux.

— Il me faut ma peau d'ours, ajoute Chrysilla, en parlant très distinctement vers l'extérieur. Va la faire chercher chez Tanagra. Qu'on la dépose dans la pièce à côté. Je veux te faire une surprise. »

Et Chrysilla retourne vers Aiacès. Ses yeux

pétillent de tant de bonheur que le tyran croit l'avoir conquise à ses jeux.

« Tu es la fille la plus étonnante que j'aie rencontrée ! » s'exclame-t-il.

Il envoie chercher la peau d'ours. Chrysilla lui sert une coupe de vin, se sert elle-même et dit :

« Que cette chasse soit agréable à Artémis ! »

Aiacès vide son verre d'un trait.

Le serviteur revient avec la peau de bête et la dépose dans la chambre à côté. Chrysilla y pénètre à son tour, pleine d'appréhension : son frère a-t-il deviné ses pensées ? Oui, il a bien compris son malicieux projet, et déjà, rapide et souple, se faufile par la fenêtre. Le frère et la sœur se regardent sans dire un mot. Timoklès endosse la peau de l'ours. Il est plus grand et plus large que Chrysilla, mais sous la fourrure, ce sont les mêmes fiers yeux d'émeraude qui contrastent avec les boucles brunes rabattues sur les joues.

Timoklès pénètre dans la chambre d'Aiacès.

Le tyran éclate de rire.

« Que tu es drôle ! tu es vraiment une fille étonnante ! »

Timoklès martèle le sol de pas lourds et lents, balançant pesamment les épaules. Il fait un tour complet autour du tyran, puis revient face à lui. Alors il lève son poignard en disant :

« Je suis Timoklès, fils d'Oloros, du dème du Céramique. Je t'avais dit que je me vengerais. »

Le tyran essaie d'arrêter le bras du garçon, mais en vain.

Le poignard s'enfonce dans sa poitrine.

Aussitôt le frère et la sœur sautent par la fenêtre.

*
* *

À la sortie du tunnel d'Eupalinos, Zeus leur est favorable et pleut en averses violentes qui emportent l'odeur de leurs pas. Le vent souffle dans leur dos, rendant leur course plus rapide. Pourtant Chysilla s'essouffle et traîne à l'arrière.

Timoklès se retourne pour l'attendre.

« Tu n'as vraiment pas de résistance, ma pauvre fille !

— Mais où allons-nous ?

— Dans la montagne. On y restera cachés jusqu'à ce que les gardes de Samos nous croient morts. Allez, viens ! Tu te reposeras plus tard ! »

Chrysilla murmure :

« Artémis, pourquoi mon frère n'est-il jamais fatigué ? »

Toute la journée ils marchent dans la chaîne de montagnes. Le soir, enfin, ils atteignent le versant sud et s'installent dans le creux d'un rocher. De là, ils peuvent surveiller la plaine. Chrysilla, tremblante de froid, de fatigue, d'émotion, met sa tête sur l'épaule de son frère. Tous deux restent ainsi un long moment silencieux, songeant aux épreuves des derniers jours.

« J'ai faim ! finit par dire Chrysilla. On va chercher des glands et des pousses de mauve. »

Le visage de Timoklès s'assombrit.

« J'ai versé le sang d'un homme.

— Ce n'est pas une raison pour me laisser l'estomac vide. »

Timoklès reste grave.

« Je dois me purifier avant de toucher quoi que ce soit.

— Lave-toi sous la pluie, ou dans un torrent. Ce n'est pas l'eau qui manque aujourd'hui ! » constate Chrysilla.

Son frère est exaspéré par une telle légèreté.

« On ne se purifie pas d'un meurtre avec de l'eau.

— Avec quoi, alors ?

— Avec du sang. »

Et, bondissant aussitôt sur ses pieds, il ajoute en s'éloignant :

« Attends-moi ici. Je reviendrai dès que j'aurai fait un sacrifice. »

Mais Chrysilla s'écrie :

« Je ne veux rester toute seule. Je viens avec toi. »

Timoklès examine le visage exténué de sa sœur et revient sur ses pas.

« Tu es trop fatiguée. On va dormir d'abord. J'irai me purifier demain matin. »

9

Chrysilla se prend
pour une déesse

À l'aurore, le ciel est encore parsemé de gros nuages sombres, quand les deux enfants partent à la recherche d'un animal pour que Timoklès puisse se purifier. Le garçon ne veut pas descendre dans la plaine, de peur de rencontrer une patrouille d'archers. Il décide donc d'explorer la montagne. Mais, après la pluie, aucune bête n'a mis le nez dehors, et hormis quelques vols d'oiseaux il n'y a pas âme qui vive.

Timoklès est malheureux. Il a déjà beaucoup tardé à se purifier de sa souillure et il craint la colère des dieux. Si Elpénor le voyait, il l'accablerait certainement de reproches, et il aurait raison. Entre deux chaînes rocheuses, le relief devient plus verdoyant. Des massifs aux courbes douces sont recouverts d'herbes et d'arbustes. Chrysilla ramasse du plantain qu'elle mâchonne avec délice. Enfin, sur le versant qui leur fait face, apparaît un mouton égaré.

« Attends-moi ici », dit Timoklès.

Chrysilla bougonne. Son frère la rassure :

« Tu n'as rien à craindre puisque tu ne vas pas me quitter des yeux. Tu surveilleras les environs. Si tu vois arriver quelqu'un, tu pousses le cri de la chouette et tu remontes vite à notre cachette.

— Je surveille », fait Chrysilla sagement.

Le mouton, au lieu de brouter paisiblement, gratte la terre, toujours au même endroit, avec obstination. Timoklès tire son poignard de la ceinture et s'avance à pas feutrés. Subitement, le mouton disparaît à l'intérieur de la colline. À sa place, il y a un trou profond. Ce trou a certainement été construit par des hommes, car les parois sont bien consolidées avec des pierres gauchement assemblées. Du fond, sortent des bêlements plaintifs.

« Décidément, se dit Timoklès, les dieux aiment que je sois dans des souterrains. »

Et il s'engouffre à son tour dans l'orifice. Il se retrouve dans une caverne noire où il ne distingue rien. Près de lui, le mouton continue à bêler tristement.

« Je dois me purifier d'abord », se dit le garçon.

Et il saisit l'animal, le palpe jusqu'au cou qu'il tranche d'un geste bref en disant :

« O Athéna, écoute ma prière ! Que ce sacrifice efface la souillure de mon meurtre. »

Et Timoklès s'allonge sous la bête. Pendant que le sang chaud et purificateur s'écoule sur lui, il se sent rempli d'une vigueur nouvelle et joyeuse.

La voix de Chrysilla rompt ce moment de sérénité.

« Timoklès ! Où es-tu ?

— Qu'est-ce que tu fais là ? Je t'avais dit de m'attendre.

— Je t'ai vu disparaître comme un fantôme !

— Je suis dans une caverne.

— Une grande caverne ?

— Je ne sais pas. Je ne vois rien. »

Timoklès scrute les lieux. Dans le halo de

lumière qui pénètre dans le souterrain, il aperçoit le pommeau d'une épée brillant d'un éclat d'or. Il s'en empare immédiatement, et fait jouer le métal comme un miroir pour renvoyer la lumière jusqu'au fond de la fosse.

Timoklès est abasourdi par ce qu'il découvre : près d'un des murs de pierre qui étayent la caverne, une dizaine de squelettes sont en train de se décomposer sous ses yeux. Bientôt, il ne reste plus que de la poussière... et de l'or. Des masques d'or sur lesquels sont dessinés de fins

visages triangulaires aux lourdes paupières fermées ; des diadèmes surmontés de lamelles d'or, des bagues, des colliers, des anneaux sculptés pour les oreilles, des poignards ciselés. La voix impatiente de Chrysilla se fait entendre à nouveau :

« Timoklès ! Qu'est-ce que tu fais ? Tu comptes jusqu'à mille ?

— J'arrive. »

Chrysilla s'allonge près du trou pour chatouiller les cheveux de son frère avec une petite branche lorsqu'elle pousse un cri d'horreur. Une tête monstrueuse, couverte de terre et de sang, émerge du trou.

« J'ai trouvé une tombe, s'exclame Timoklès, triomphant.

— Tu es effroyable et sale !

— Une tombe de roi », précise le garçon.

Chrysilla s'éloigne en faisant la grimace.

« Tu sens le mouton. Tu me dégoûtes. »

— Cesse de radoter. Je te dis que je me suis purifié et que j'ai trouvé une tombe de roi. »

Chrysilla le dévisage un moment, méfiante.

« Tu ne mens pas ?

— Par Athéna, je dis la vérité.

— Je veux voir par moi-même », dit-elle d'un ton soupçonneux.

Tous deux redescendent dans la fosse et Timoklès éclaire les cadavres royaux.

« C'est le trésor des Athéniens ? demande Chrysilla.

— Certainement pas. Ce sont des rois aussi vieux que ceux de la guerre de Troie. »

Chrysilla est au comble de l'excitation. Elle s'approche des cadavres et saisit les bijoux les uns après les autres.

« Ne touche à rien, ordonne Timoklès. Tu offenses des morts vénérables. »

Chrysilla, indifférente à ses conseils, tourne et retourne une bague pour l'examiner avec soin.

« Tu sais ce que disait Tanagra : "Un corps sans bijoux est comme un ciel sans étoiles." C'est une image fabuleuse.

— C'est d'une ineptie sans bornes. Laisse tout cela et remonte immédiatement.

— Tu veux abandonner tous ces trésors ?

— Je veux t'épargner un sacrilège. Monte ou je me fâche. »

Chrysilla se fait obéissante.

« Monte le premier, dit-elle. Tu me tireras ensuite. »

À peine Timoklès s'est-il engagé dans la cheminée que Chrysilla, tâtonnant dans l'obscurité, s'empare de tous les bijoux qu'elle rencontre. Elle les dépose dans sa tunique dont elle relève un bord pour faire une corbeille.

« Tu viens ! » lui crie son frère.

Chrysilla s'engage à son tour dans l'étroit conduit. Mais comme sa main gauche est occupée à retenir les bijoux dans les plis de son vêtement, elle a le plus grand mal à grimper.

Son frère s'impatiente :

« Mais qu'est-ce que tu fais ?

— Tu vois bien, je monte. C'est difficile.

— Tu n'es vraiment bonne qu'à tisser le péplos d'Athéna, ma pauvre fille ! »

Chrysilla tend une main en l'air.

« Tire-moi donc, au lieu de m'injurier. »

Dès que Chrysilla émerge dans la lumière du jour, elle dit :

« Ferme les yeux et raconte-moi la guerre de Troie. »

Le ton est si impératif que le garçon s'exécute et commence à réciter avec flamme le bouclier d'Achille, son morceau préféré.

« Regarde-moi », ordonne sa sœur.

Timoklès ouvre les yeux. Chrysilla, un diadème d'or sur les cheveux, un lourd collier au cou, les mains, les bras, les chevilles étincelants sous les bagues et les bracelets, resplendit du vol sacrilège.

Timoklès est confondu par une audace aussi effrénée.

« Chrysilla, tu as perdu l'esprit.

— Je suis une déesse, répond-elle au comble du ravissement.

— Enlève tous ces bijoux, tout de suite. »

Timoklès bondit pour attraper sa sœur, mais elle s'enfuit en criant :

« Je suis une déesse... Je suis une déesse... »

Et la silhouette étincelante dévale la colline, poursuivie par son frère écumant de colère.

« Maudite fille ! Je te remplirai d'herbes et tu deviendras toute verte ! »

Chrysilla s'arrête brusquement. Un berger, en chantonnant, vient de surgir de derrière la colline, accompagné de son chien. Stupéfait par une apparition aussi resplendissante dans des lieux aussi sauvages, il croit voir une divinité descendue sur la terre. Timoklès se cache derrière un buisson. Le berger se prosterne sur le sol. Chrysilla laisse tomber avec condescendance :

« Qui es-tu, étranger ?

— O déesse, implore l'homme timidement, prends en pitié un pauvre berger qui a perdu son mouton.

— Ton mouton... »

Chrysilla hésite un moment puis déclare brutalement :

« Ton mouton, je l'ai tué. »

Le berger lève de grands yeux tristes.

« Pourquoi ?

— Pour l'offrir à mon père Zeus, qui avait faim.

— Pourquoi avoir choisi le mien ? reprend le berger humblement.

— Il avait envie de celui-là. On ne discute pas avec le père des dieux. »

Le berger, soumis et résigné, se contente de constater :

« C'est un terrible jour pour Samos. Aiacès a été assassiné... »

Chrysilla l'interrompt vivement :

« Comment le sais-tu ?

— Des soldats arpentent toute l'île à la recherche du meurtrier. »

Des aboiements interrompent la conversation. Le chien du berger, insensible à la présence d'une déesse, a continué à flairer l'odeur du mouton et vient de découvrir Timoklès. Il saute sur lui furieusement. Timoklès et l'animal roulent par terre dans un terrible corps à corps. En découvrant le garçon couvert de sang, le berger murmure :

« Le meurtrier ! »

Maintenant, Timoklès saisit son poignard et le dresse pour frapper le chien qu'il blesse à l'épaule. La bête hurle de douleur. Le berger se précipite pour sauver son fidèle compagnon, le prend dans ses bras et s'enfuit épouvanté en hurlant :

« C'est le meurtrier ! C'est le meurtrier ! »

Timoklès a une mauvaise morsure à la cuisse. Il perd beaucoup de sang. Chrysilla s'approche de lui, l'air penaud.

« Qu'est-ce que tu as ? C'est grave ?

— Très grave. J'ai la sœur la plus inepte, la plus prétentieuse, la plus extravagante...

— Je n'ai rien fait de mal !

— Par ta faute, les gardes d'Aiacès vont nous capturer !

— Tu es atrocement méchant ! pleurniche Chrysilla.

— Maintenant, débrouille-toi toute seule

puisque tu es une déesse. Je ne ferai plus jamais rien pour toi. »

Et, marchant péniblement, Timoklès se dirige vers la mer.

Chrysilla le suit piteusement à un stade de distance, les yeux pleins de larmes. Elle enlève petit à petit les bijoux des reines anciennes et les jette dans les torrents.

*
* *

À la tombée du jour, ils se retrouvent sur une grève. Les nuages se bousculent dans le ciel et le vent soulève de hautes vagues. Tous deux se taisent. Timoklès a le visage tendu par la douleur. Chrysilla ne sait plus que dire ni proposer. Où s'enfuir ? Même s'ils atteignaient, à quelques stades de là, le pic rocheux battu furieusement par les eaux, ils ne pourraient qu'y périr de faim et de soif. Attendre sans soigner Timoklès est tout aussi imprudent.

Soudain, ils entendent des sons de hautbois, des aboiements, des bribes de paroles.

« Ce sont les gardes », dit Timoklès.

Chrysilla lève vers son frère un regard effrayé.

Sans même la regarder, il décide avec une détermination résignée :

« La nuit tombe. On va essayer d'atteindre ce pic rocheux.

— Et après ? »

Timoklès lève un bras incertain. Résolu à lutter jusqu'au bout, même sans espoir, il entre dans la mer. L'eau salée ravive douloureusement sa blessure. Il pâlit. Chrysilla, qui ne le quitte pas des yeux, s'approche de lui.

« Accroche-toi à moi. Je te porterai. »

À son tour, elle plonge dans les vagues. Son frère accroche ses mains à sa taille et bat des pieds derrière elle. Malgré l'inconfort de la situation, Chrysilla lutte courageusement contre la houle.

À peine se sont-ils éloignés d'un demi-stade qu'ils entendent les gardes arriver sur la berge et commenter les traces de sang.

« Il était temps qu'on s'en aille », crie Chrysilla à son frère.

Mais celui-ci ne répond pas. Il serre encore davantage les hanches de sa sœur en contractant violemment ses doigts.

Chrysilla se plaint.

« Ne m'agrippe pas comme cela ! Tu me fais mal ! Je ne peux plus bouger ! »

Timoklès ne répond toujours pas. Il pèse de plus en plus lourd, comme une grosse masse inerte qui entrave les mouvements.

« Il est peut-être mort », se dit Chrysilla.

À cette évocation, elle se sent prise de nausée. Elle s'étouffe, nage maladroitement, avale de l'eau, la recrache, suffoque :

« On va se noyer ! » murmure-t-elle.

C'est alors qu'elle remarque un radeau sur lequel se tient un homme fort et corpulent. Le radeau se rapproche facilement malgré les vagues furieuses. Deux mains vigoureuses la saisissent par les épaules et la déposent sur les solides rondins de chêne. Puis la silhouette massive tire Timoklès de l'eau et l'allonge à son tour. Son frère est évanoui. Sur l'île de Samos, des lanternes sont allumées tout le long du rivage pour la poursuite nocturne du meurtrier.

Leur sauveur est un vieux marin, aux courts cheveux blancs et bouclés. Il a des yeux brillants, couleur de chouette, qui transpercent le cœur.

« Dors », dit-il à Chrysilla d'une voix très douce.

Et son visage s'éclaire d'un sourire mystérieux.

Chrysilla, malgré la tempête et l'état alarmant de son frère, se sent envahie par une grande paix. Elle tombe immédiatement dans un sommeil charmant.

*
* *

Au matin, lorsque Chrysilla se réveille, le marin a disparu. La mer est redevenue calme et paisible, comme si elle se reposait mollement des tourmentes de la veille. Le soleil fait ricocher sur les vagues tranquilles les premiers rayons du jour. Timoklès, assis sur le radeau, contemple la beauté de l'aurore. Sur sa cuisse, il n'y a plus aucune trace de morsure. Pas même une cicatrice.

« Timoklès ! »

Son frère se retourne.

« Tu es réveillée ! Que s'est-il passé cette nuit ? Je ne me souviens de rien. »

Chrysilla raconte, dans les moindres détails, les événements de la nuit. Timoklès devient songeur.

« C'était sans doute Athéna !

— Athéna, ce vieux marin ? » s'exclame Chrysilla qui n'en croit pas ses oreilles.

Timoklès lui jette un regard lourd de reproche.

« Ce n'est pas l'or qui fait les déesses. »

Chrysilla sent la honte l'envahir jusqu'à la racine des cheveux. Tout d'un coup, elle mesure l'ampleur de son audace. Elle qui ne sait ni arrêter les tempêtes, ni guérir les morsures, ni arracher les hommes à la mort, comment a-t-elle osé, pour quelques bijoux sur la tête, prétendre être une fille de Zeus ? Elle se mord les lèvres de confusion et ne souffle mot.

Le radeau dérive lentement vers les côtes escarpées de l'Ionie lorsqu'un navire, chargé de laines de toutes couleurs, s'approche d'eux. Les marins interpellent joyeusement les deux rescapés :

« C'est un nouveau modèle, ce somptueux navire ? demande l'un.

— Voulez-vous qu'on vous emmène ? demande un autre.

— Où allez-vous ? interroge Timoklès.

— À Corinthe.

— Heureux celui qui passe une nuit à Corinthe, ajoute en riant un jeune homme. Mais d'où viens-tu ?

— Je viens d'Athènes et je devais trouver le fleuve Océan.

— Toi aussi ! C'est une maladie contagieuse.

J'ai rencontré un Athénien, un certain... Ororos, Ololos, qui le cherchait aussi.

— Où est-il ? demande Timoklès, le cœur battant.

— Il se rendait à Suse. »

Déjà le navire s'éloigne.

« Et ici, crie Timoklès en montrant la côte, où sommes-nous ?

— À Milet, hurle un marin. La perle de l'Ionie. Une perle toute noircie pour une vieille femme édentée ! »

*
* *

Milet, la parure de l'Ionie, offre en effet un triste spectacle depuis le passage des Perses. Pourtant le port a repris son activité habituelle et partout on reconstruit des maisons. Les deux enfants évitent prudemment la ville, car Milet est proche de Samos et la nouvelle de l'assassinat d'Aiacès pourrait être connue.

Deux heures plus tard, ils atteignent le fleuve Méandre.

« Qu'est-ce qu'on va faire ? » demande Chrysilla.

Timoklès ne sait que décider : faut-il essayer de retrouver son père ? Ou rentrer à Athènes ? Chrysilla serait mieux dans le quartier du Céramique. Pour le moment, il répond sagement :

« Il faut d'abord manger, puis dormir. »

Chrysilla regarde autour d'elle d'un air consterné.

« Tout a été brûlé ! Il n'y a pas un olivier, pas un pistachier, pas un figuier, pas même des racines de mauve.

— Ne te mets pas à pleurer, je n'ai pas de vase pour garder tes larmes. Je vais t'attraper des poissons. »

Sur le bord du Méandre, un homme se promène, la tête levée vers le ciel. Il parle tout seul en marchant et fait de grands gestes avec les mains. Il avance en ligne droite, et comme le fleuve est très sinueux et fait beaucoup de courbes, l'homme marche tantôt sur la terre, tantôt dans l'eau de la rivière. Chrysilla est intriguée.

« Tu as vu cet homme là-bas ? qu'est-ce qu'il fait ?

— Il réfléchit.

— Cela fait marcher dans l'eau de réfléchir ?

— Parfois », dit Timoklès déconcerté.

Puis il ajoute :

« Tu ne peux pas le savoir, tu ne réfléchis jamais. »

L'homme, déjà à mi-jambe dans le fleuve, s'enfonce soudainement, comme happé par les sables. Timoklès vole au secours de l'imprudent promeneur. Chrysilla éclate de rire. Saisie d'une folle hilarité devant une situation aussi comique, elle ne cesse de répéter :

« Il réfléchit, il réfléchit, et il se noie. »

*
* *

La maison de l'homme sauvé des eaux est une large cabane de bois et de roseaux. Les enfants dévorent un plat de lentilles. Autour d'eux sont amoncelées de nombreuses tablettes de bois enduites de cire. Elles sont couvertes de lettres, de chiffres, de dessins géométriques. Chrysilla les examine d'un air perplexe.

« À quoi ça sert, tout cela ?

— À progresser dans la connaissance. »

Chrysilla l'interroge du regard. L'homme lui explique :

« C'est que l'ignorance est le plus grand des maux.

— Je le lui ai toujours dit », s'exclame Timoklès d'un air narquois.

Chrysilla, vexée, se détourne des tablettes. Timoklès s'intéresse ostensiblement aux activités de leur hôte.

« Qu'est-ce que tu apprends ?

— La philosophie.

— Qu'est-ce que c'est ?

— C'est l'amour de la sagesse. »

Chrysilla, qui sent que la conversation prend un tour terriblement austère, baye aux corneilles.

« Je peux dormir ?

— Couche-toi sur ce matelas de roseau. Nous parlerons dehors avec ton frère. »

Le philosophe et Timoklès se retirent à l'extérieur sur un petit banc de bois.

« Qu'est-ce que c'est, la sagesse ? demande le garçon.

— C'est d'agir conformément à l'ordre du monde.

— Je ne comprends pas bien. »

Le philosophe, heureux de trouver une oreille attentive, se prête volontiers aux explications.

« Les philosophes cherchent à comprendre le principe des choses. Par exemple, à connaître l'origine de la terre. On sait maintenant que la terre est sortie de l'air et que c'est l'air qui l'entoure. »

Cette information stupéfie Timoklès.

« Ce n'est pas le fleuve Océan qui entoure la terre ?

— On l'a cru un moment, mais on s'est trompé. C'est l'air qui entoure la terre.

— Mon père qui est parti chercher le fleuve Océan ne le trouvera jamais ?

— Jamais, puisqu'il n'existe pas. Mais où se trouve ton père ?

— À Suse. C'est loin, Suse ?

— C'est à quatre-vingt-dix jours de marche. »

Timoklès est très embarrassé. Il ne peut pas laisser son père poursuivre un but inexistant. Le philosophe a bien raison : l'ignorance est le plus grand des maux. Mais que faire de Chrysilla ? Il regarde longuement le visage serein de son hôte et lui dit :

« Je dois aller à Suse pour retrouver mon père. Je mettrai quarante-cinq jours seulement. Pendant ce temps, peux-tu garder ma sœur avec toi ? Elle est très gentille et calme. Elle a appris beaucoup de choses à Samos : friser les cheveux, masser, faire des bains d'huile. Elle te sera très utile, tu verras. »

Le philosophe sourit. Timoklès rentre dans la cabane et revient avec une tablette de cire et un stylet. Il écrit :

« Chrysilla, je vais à Suse prévenir notre père que ce n'est pas l'Océan qui entoure la terre, mais l'air. Reste avec le philosophe et attends-moi sagement. Je serai de retour dans cent jours. »

Il confie la tablette à son hôte en précisant :

« Tu lui liras mon message. Elle ne sait pas lire. Elle est très ignorante. »

Le philosophe le dévisage avec bonté.

« As-tu suffisamment réfléchi avant d'agir ? Ne veux-tu pas attendre que ta sœur se réveille pour prendre une telle décision ?

— Non. Elle voudra venir avec moi et elle n'a pas de résistance. »

Le philosophe hoche la tête.

« Si tu crois que ce que tu fais est bien, je garderai ta sœur. Maintenant, je vais t'expliquer le chemin. »

10

L'Œil du Roi

Cela fait bientôt trois mois que Kallias et le satrape voyagent vers Suse où demeure le Grand Roi. Chaque soir, ils se sont arrêtés dans les belles hostelleries qui servent de relais tout le long de la route royale. Une suite nombreuse les accompagne. Le ravitaillement est porté par de curieux animaux à deux bosses qu'on appelle des chameaux.

Kallias a mis au point sa stratégie. D'abord convaincre Darius de conquérir la Grèce. Ensuite, le convaincre de la soumettre pacifiquement en envoyant à Athènes un ambassadeur habile. Enfin, être lui-même cet ambassadeur dans la cité des Athéniens. Là, à nouveau, il dissertera finement sous les platanes de l'Agora, à nouveau sous les portiques, à nouveau dans les banquets. Mais tout cela n'est encore qu'un rêve. Pour le moment, c'est le cœur plein d'appréhension qu'il voit se dresser, au bord d'un fleuve, Suse la magnifique, Suse, qui, dit-on, possède autant de trésors que Zeus sur l'Olympe.

Après avoir franchi les massives fortifications qui entourent la ville, l'attelage du satrape se dirige vers le nord de la cité. Là, sur une immense terrasse qui surplombe toutes les habitations, se dresse un splendide édifice de briques. Kallias, toujours curieux de tout, s'informe auprès de son maître :

« C'est un temple ?

— Qu'est-ce qu'un temple ?

— La demeure d'un dieu.

— Les dieux sont le soleil, la lune et les astres. Ils n'ont pas besoin de demeures puisqu'on les adore en haut des montagnes. Ce que tu vois est le palais du roi.

— Un roi qui se prend pour un dieu ! » s'exclame Kallias avec ironie.

Le satrape paraît choqué par ces propos. Kallias se reprend aussitôt :

« Le roi des Perses mérite une demeure aussi sublime. »

Le satrape, rassuré, ajoute :

« Bientôt ce sera la plus grande fête de l'année.

— Une fête pour les dieux ?

— Non, dit le satrape en riant de son ignorance. Pour l'anniversaire du roi, bien sûr. »

Et il montre du doigt les deux statues colossales de Darius qui entourent la porte monumentale par laquelle on accède à la terrasse royale.

*

* *

Les colonnes et les murs du palais sont décorés de têtes de griffons et de taureaux. Mais Kallias n'a pas le cœur d'ironiser sur ce pays barbare où un roi se prend pour un dieu et où l'on représente des têtes monstrueuses plutôt que de beaux visages humains. Il se prépare à l'entrevue royale.

À droite de la cour intérieure, il pénètre dans une longue salle étroite aux murs couverts de céramique représentant des combats d'animaux.

Au fond, sur un trône d'or supporté par deux têtes de cheval, se tient le roi Darius.

Un pectoral d'or est accroché à son cou. Sa tiare et sa longue robe sont brodées d'argent. Le visage dégage une impression de force et d'intelligence.

Parmi les hauts fonctionnaires qui se tiennent derrière lui, Kallias remarque vite un homme large et massif. Ses petits yeux rusés l'examinent de façon si perçante qu'ils semblent vouloir lire ses pensées à travers son crâne.

« Ce doit être l'Œil et l'Oreille du Roi », se dit-il.

Les Yeux et les Oreilles du Roi sont les conseillers personnels de Darius. Ils ont pour mission de surveiller, au palais comme dans les provinces, les satrapes et les hauts fonctionnaires pour dépister toute velléité d'intrigue ou de trahison.

Le satrape se prosterne aux pieds du roi. Darius prend la parole avec majesté :

« Satrape de Sardes, m'apportes-tu de bonnes nouvelles d'Ionie ?

— Les nouvelles que je t'apporte sont bonnes. J'ai écrasé dans le sang les cités rebelles, j'ai pillé leurs trésors, déporté leurs populations, incendié leurs maisons et leurs champs.

— Tu as mérité la confiance que je t'ai accordée. Je te donnerai un glaive d'or en récompense. »

Puis Darius s'adresse à tous :

« Depuis que je suis monté sur le trône, j'ai cherché à étendre la puissance des Perses. Maintenant que les peuples sont soumis jusqu'à la mer Égée, je peux connaître le repos. »

Le satrape prend la parole.

« O roi, je peux apporter à ta gloire encore plus de gloire.

— Que veux-tu dire ?

— En traversant la mer, je peux conquérir pour toi les cités de la Grèce. Surtout l'insolente Athènes qui a soutenu les révoltés d'Ionie. »

Darius regarde son interlocuteur d'un long regard sévère. Craignant d'avoir été trop téméraire, le satrape de Sardes s'incline et dit :

« Maître, écoute les paroles de cet homme nommé Kallias. C'est un Grec fin et habile qui t'est entièrement dévoué. »

Kallias s'avance vers le trône et se prosterne à son tour.

« J'écouterai ton avis, dit Darius. Mais sache que le mensonge, ici, est puni de mort. »

Kallias soutient sans broncher le regard du roi. Celui-ci lui demande :

« Ai-je besoin des cités pauvres et querelleuses de la Grèce pour ajouter à ma gloire ? »

Kallias réfléchit un moment avant de répondre :

« Ce n'est pas par leur richesse que les Grecs t'offensent, mais par leur ironie. »

Darius fronce les sourcils. Kallias s'explique :

« Les citoyens d'Athènes rient de toi sur l'Agora. Ce rire monte vers le ciel et jette une tache d'ombre sur l'éclat de ta puissance. »

Darius ne relève pas l'insulte. Il a l'air soucieux.

« Faut-il vraiment, pour quelques rires, faire traverser la mer à l'armée perse ?

— Me permets-tu, ô roi, d'avancer un conseil ? demande prudemment Kallias.

— Parle.

— Tu peux soumettre ce peuple sans les armes.

— Je ne vois pas comment, remarque Darius.

— Les Grecs sont sensibles aux argumentations justes et sages. Beaucoup te sont favorables

et ne veulent pas de la démocratie. Envoie-leur un ambassadeur digne de foi, qui leur demandera la terre et l'eau au nom du roi Darius. S'il sait les convaincre, ils se soumettront comme se sont soumis les Arabes qui t'ont laissé franchir leur terre jusqu'en Égypte. »

Darius paraît satisfait de la réponse, mais le satrape est mécontent de la tournure des événements.

« Quel avantage y a-t-il à se priver d'une bataille éclatante ? »

Kallias répond avec sagesse :

« Une armée qui traverse la mer est fragile, car elle est loin de son pays. »

Le satrape est indigné.

« Veux-tu dire qu'un peuple peut se mesurer à l'armée perse ? Tu m'assurais du contraire. Pourquoi changes-tu de langage ?

— Ne m'accuse pas injustement, répond Kallias. J'ai dit et je répète que la Grèce doit être soumise, car elle est un foyer de révoltes. Mais ce serait s'épargner de grands maux que de la soumettre par la parole plutôt que par les armes. »

Puis il se tourne vers Darius en s'inclinant.

« Maître, tu es au-dessus de tous les hommes,

et seul ton jugement est plein de sagesse et de vérité.

— Tu es un conseiller prudent et perspicace, répond le roi. Tes paroles m'ont convaincu. Mais il est d'usage, en Perse, qu'une décision soit prise deux fois : quand on est à jeun, et lorsqu'on est ivre, dans la clairvoyance que donne le vin. »

Darius se lève de son trône pour signifier que l'audience est terminée. Il ajoute :

« Je donnerai ma réponse définitive après le dîner de mon anniversaire. »

*

* *

Dès qu'ils se retrouvent dans la cour, le satrape se retourne, furieux, vers Kallias.

« Tu m'as trahi ! Il fallait le convaincre de faire la guerre !

— Je t'ai servi, au contraire. Les Athéniens refuseront la terre et l'eau au roi. Darius sera furieux et te demandera d'aller châtier leur insolence.

— Pourquoi cette perte de temps, puisque nous finirons par partir en guerre ?

— Si tu pars en guerre maintenant et qu'il

t'arrive quelque défaite, la colère du roi se dressera contre toi qui lui as demandé cette expédition. Si, au contraire, c'est lui qui te l'ordonne, sa foudre te sera épargnée.

— Tu es l'ami le plus sage et le plus loyal que je connaisse », dit le satrape, ahuri par tant de subtilité.

*
* *

Depuis plusieurs jours, l'Œil du Roi surveille secrètement ce nouveau conseiller du satrape de Sardes que Darius estime tant, cet Athénien nommé Kallias. Mais, malgré son habileté à discerner la moindre hésitation dans un discours, la plus légère réticence dans l'obéissance, il ne lui découvre aucune faiblesse. Tout, dans l'attitude de Kallias, prouve au contraire sa sincérité et sa loyauté envers le roi des Perses. Pourtant l'Œil du Roi, habitué à se méfier de tous, est absolument convaincu que ce jeune homme trop parfait cache quelque dessein secret.

Il ne lui reste que trois jours pour le démasquer. Car, dans trois jours, ce sera l'anniversaire de Darius. Et, sauf effet inattendu et improbable de l'ivresse, le roi enverra Kallias à Athènes demander en son nom la terre et l'eau.

*
* *

Cet après-midi-là, tandis qu'il descend le somptueux escalier qui relie la terrasse royale à la ville, il voit arriver un cavalier couvert de poussière sur un cheval harassé. Le cavalier s'adresse aux gardes, devant la porte monumentale :

« J'arrive de Milet. J'ai un message urgent pour le roi. »

L'Œil du Roi s'approche du cavalier et lui demande :

« Quel est ce message important ? »

L'homme hésite à parler à cet inconnu. Mais l'Œil du Roi, devinant ses pensées, le renseigne d'un ton bref :

« Je suis l'Œil et l'Oreille du Roi. Tu dois parler sans crainte.

— On a assassiné le tyran de Samos, répond l'homme d'une seule traite.

— Sais-tu qui l'a tué ?

— Un esclave d'Athènes. Un garçon très jeune.

— Connais-tu son nom ?

— On dit qu'il s'appelle Timoklès, fils d'Oloros. »

L'Œil du Roi se concentre un moment. Il se souvient qu'un certain Oloros est passé par Suse il y a quelque temps. Un sourire rusé passe sur ses lèvres fines. Son instinct, qui ne le trompe jamais, lui fait pressentir des événements propices à ses plans.

« Garde secret ce message », dit-il au cavalier.

L'homme le regarde d'un air hésitant. L'Œil du Roi lui tend une darique d'or.

« C'est bientôt l'anniversaire du roi. Il est inutile que cette triste nouvelle vienne assombrir son triomphe. »

Le cavalier contemple dans sa main la pièce ronde et brillante sur laquelle est incrusté le profil de Darius. Définitivement convaincu par cet argument en or massif, il répond :

« Je suivrai tes conseils. »

Et il se dirige vers la maison où se tiennent tous les messagers qui apportent les nouvelles des villes de l'empire.

L'Œil du Roi erre dans la ville, attentif au moindre signe. Soudain il entend prononcer le nom d'Oloros et se retourne aussitôt. C'est un jeune garçon aux boucles brunes qui interroge une marchande.

« Tu l'as peut-être rencontré. Il cherche l'Océan qui entoure la terre. »

La marchande remue ses souvenirs.

« Un homme grand, magnifique, qui marche comme une tempête de vent ?

— C'est lui ! s'exclame Timoklès. Où est-il ? »

La femme a une petite moue perplexe.

« Il a dû repartir. On ne l'a plus vu par ici. »

Timoklès la remercie et continue à interroger les passants.

L'Œil du Roi sent battre dans son cœur l'ivresse d'une proche victoire. Comme le chasseur qui voit sa proie s'enfoncer dans une retraite sans issue, il suit, obstiné, patient, infatigable, le garçon grec dans les ruelles de Suse.

Le soir, sur une large place, la foule cosmopolite s'amuse avant la fête du roi. Ils sont venus de tous les coins du monde perse pour l'anniversaire de Darius. Certains ont les jambes enroulées dans des morceaux d'étoffe rouge et portent des vêtements de cuir. D'autres, de race noire, sont drapés dans des peaux de lion ; d'autres encore portent sur la tête une crinière de cheval.

Les hommes organisent un jeu sportif : il faut

lancer un disque de bois le plus loin possible. Timoklès ne résiste pas au plaisir de pratiquer à nouveau un exercice qu'il aime tant, et se joint aux concurrents. Il prend le disque, se penche, se redresse, se détend avec la perfection d'une technique maîtrisée : le cercle de bois siffle dans l'air et retombe trois pieds au-delà de la ligne du meilleur adversaire. Les femmes sourient. Les hommes le regardent avec étonnement et les concurrents l'embrassent sur la bouche pour lui signifier qu'il est devenu leur égal. Soudain une voix se fait entendre :

« Timoklès ! »

Le garçon cherche autour de lui et s'écrie :

« Kallias ! »

L'Œil du Roi ferme un instant les paupières pour savourer sa satisfaction.

Les deux amis tombent dans les bras l'un de l'autre.

Pressés de se retrouver seuls, ils s'éloignent dans une ruelle déserte près des fortifications de la ville. Débordant de bonheur et d'excitation, ils se racontent leurs aventures.

Une heure plus tard, des gardes viennent arrêter Timoklès. Kallias tente de les en empêcher en leur exposant de longs raisonnements subtils sur la justice. Mais en vain.

« Ne te fatigue pas à parler, dit un Perse qui passe. Ce sont les hommes de l'Œil du Roi. Ils sont sourds et muets. »

*
* *

C'est le cœur lourd et inquiet que Kallias se rend au festin d'anniversaire de Darius. Arrivera-t-il à garder la confiance du roi ? Cette confiance lui permettra-t-elle de sauver Timoklès ? Son adversaire est tellement redoutable.

La nuit arrive vite en hiver et les premières étoiles apparaissent déjà dans le ciel. Le vent du sud annonce un orage proche. Sur la terrasse royale, une immense tente tissée de fils d'or s'ouvre largement sur les jardins du palais. À l'intérieur, tout est en or massif : la longue table, les sièges, les assiettes, les gobelets, les cratères.

Autour de Darius sont rassemblés les satrapes de toutes les provinces de l'empire, les hauts fonctionnaires, les confidents personnels, tous vêtus de robes brodées et couverts de bijoux.

Kallias s'installe non loin du roi. Il a l'impression que les figures animales, qui décorent les chaises et la vaisselle, le regardent, sous la lumière mouvante des lampes à huile, avec des expressions ironiques et menaçantes.

Des serviteurs apportent sur un plateau d'or le plat préféré du roi : un chameau tout entier, rôti dans un énorme four. D'autres servent généreusement du vin venu de toutes les satrapies. Seuls, l'Œil du Roi et Kallias restent sobres.

Quand l'ivresse a suffisamment saisi les convives, on présente des gâteaux très sucrés, inconnus à Athènes, qui donnent à nouveau envie de boire.

Alors Darius prend la parole :

« Perses, sous l'effet de ce vin aux divins pouvoirs, je dois, cette nuit, décider d'une nouvelle conquête. »

Les convives, déférents et soumis, attendent avec curiosité de connaître l'ambition de leur roi.

« Dois-je soumettre la Grèce ? » s'exclame Darius d'une voix solennelle.

Le satrape de Sardes regarde avec appréhension le visage des invités. Un autre satrape approuve docilement.

« Aucun pays ne peut résister à ta puissance. »

Un autre, plus téméraire sous l'effet de l'ivresse, ajoute cependant :

« C'est une entreprise hasardeuse. J'ai entendu dire que les Grecs sont capables de mourir pour la liberté. »

Darius le regarde avec hauteur.

« Je connais ces propos qui m'ont déjà été rapportés. Mais un ami loyal m'a assuré que beaucoup d'Athéniens souhaitent en secret nous servir. Ils sont prêts à se révolter pour nous donner la terre et l'eau.

— Qui est cet ami, ô roi ? » demande un haut fonctionnaire.

Darius montre le jeune homme du doigt.

« Kallias, un Athénien dévoué.

— C'est un Grec ! s'exclame le satrape téméraire avec mépris. Les Grecs sont un peuple rusé et perfide ! »

Darius paraît offensé par la remarque de son interlocuteur.

« Crois-tu que je puisse me tromper sur la sincérité d'un homme ? »

Le satrape s'obstine cependant.

« Les Grecs ne sont pas une race noble. Ils sont capables de mensonges. »

L'Œil du Roi intervient alors d'une voix modeste.

« Me permets-tu, ô roi, d'amener devant toi un Athénien ?

— S'il peut éclairer notre choix, fais venir cet homme », répond Darius.

L'Œil du Roi fait signe à un garde et ajoute :

« Cet Athénien est l'assassin du tyran de Samos. »

Le regard de Darius étincelle de surprise et de colère. Kallias reste imperturbable malgré les craintes qui s'agitent dans son cœur. Deux gardes font entrer Timoklès.

« Prosterne-toi pour adorer le roi », dit l'un.

Timoklès garde la tête droite et déclare :

« Les dieux seuls doivent être adorés.

— Que veux-tu dire ? demande perfidement l'Œil du Roi.

— Que je refuse de m'abaisser devant un homme. »

Les convives se tournent vers Darius pour connaître sa réaction devant une telle impudence. Kallias, effondré par la tournure des événements, cherche désespérément un discours habile pour sauver son ami.

Darius, empli d'une sombre fureur, ordonne :

« Frappez-le à mort. Et faites amener les chiens pour qu'ils le dévorent. La terre perse ne doit pas être souillée par ce cadavre. »

L'Œil du Roi, qui ne quitte pas le visage de Kallias de son regard perçant, se penche alors vers Darius et lui suggère à voix basse :

« O roi, me permets-tu de te proposer un avis ? Demande à Kallias ce qu'il pense de ce châtiment envers un Athénien. Ainsi tu seras assuré de sa sincérité. »

Darius est agacé.

« Tu abuses de ma patience à douter sans cesse de mes amis. »

Puis il se tourne vers Kallias.

« Toi, dont les conseils sont avisés, penses-tu que j'agis avec trop de colère ? Cet Athénien mérite-t-il la mort ? »

Kallias devine le piège tendu par le confident du roi. Le chagrin au cœur, il répond avec prudence :

« La vie est une longue épreuve de malheurs, de tourments, de maladies. La mort est pour l'homme un refuge. C'est un grand bonheur pour cet Athénien de la recevoir devant toi. »

C'est alors qu'il croise le regard de Timoklès. Son ami le dévisage avec tant de reproche et de douleur que Kallias sent vaciller ses pensées. Il ne trouve plus d'arguments pour prolonger son audacieux discours. Les idées s'embrouillent dans sa tête : pourquoi Timoklès doute-t-il de lui ? Pourquoi ne peut-il comprendre la ruse ? Pourquoi ne devine-t-il pas qu'il cherche à le sauver ?

« Faites ce que j'ai ordonné ! » s'exclame Darius d'une voix terrible.

Un garde arrive du jardin, tenant six chiens affamés en laisse. Deux autres gardes lèvent leurs poignards. Timoklès, toujours abasourdi par la trahison de son ami, le fixe avec une expression de détresse et de mépris. Alors dans l'esprit désespéré de Kallias, surgit, tel l'éclair de Zeus, une nouvelle ruse.

« Maître, s'exclame-t-il d'une voix frémissante, me permets-tu de te proposer un châtiment plus exemplaire encore ? Laisse partir cet Athénien à la course, et lance les chiens à sa poursuite. Ainsi plus forte sera sa peur, plus longue sa souffrance et plus vif ton plaisir.

— Faites ce qu'il dit, ordonne le roi. Allez, cours », ajoute-t-il en montrant à Timoklès la large ouverture de la tente.

Timoklès bondit vers les jardins du roi.

« Lance les chiens », ordonne à nouveau
Darius.

À cet instant, Kallias saisit deux lampes à huile
qu'il lance devant les chiens. Ceux-ci, terrorisés
par le feu qui se répand autour d'eux, s'affolent
en tous sens. Kallias, saisi par une fureur impitoyable, saute sur la table somptueuse, court
d'une lampe à l'autre pour renverser l'huile

bouillante tout autour de lui. La tente tissée d'or s'enflamme. L'orage qui couvait depuis le début de la soirée répond à cette tourmente de colère. De longues rafales de vent emportent les tissus brûlants qui, d'arbre en arbre, font courir les flammèches comme un tourbillon d'étoiles.

*
* *

Timoklès s'étonne de ne pas être poursuivi. Il s'arrête pour regarder derrière lui. Alors seulement, voyant les flammes courbées sous la tempête, il comprend la ruse de son ami. Une joie folle envahit son cœur : Kallias ne l'a pas abandonné. Kallias n'a pas eu peur de mourir. Kallias n'a pas trahi les Athéniens. Il a seulement utilisé ses armes oratoires pour lui sauver la vie. Mais maintenant, que faire pour s'échapper ? Que faire pour le retrouver ?

Timoklès repart explorer les jardins du roi. Après avoir couru quatre stades, il arrive à la lisière de la terrasse du palais. Elle surplombe d'une centaine de pieds le fleuve, dont les flots noirs sont agités par des reflets d'argent. Au loin, il entend l'aboiement des chiens, les cris des hommes, les hennissements effrayés des chevaux.

« Il faut plonger dans le fleuve, pense Timoklès. Mais comment prévenir Kallias ? » Il se souvient du signal de Chrysilla et pousse le long ululement de la chouette d'Athènes, vite emporté par le vent.

Mais aucun cri d'oiseau ne lui répond.

« Peut-être ne sait-il pas imiter la chouette, lui qui ne sait que parler », se dit Timoklès.

Patiemment, il recommence, une fois, deux fois, trois fois.

Les cris des hommes se rapprochent. Dans quelques instants, il lui faudra ou sauter ou mourir.

Une fois encore il ulule longuement. Puis il entend, à quelques pas, une respiration bruyante et haletante.

« C'est un chien », se dit-il en se cachant à l'extrême bord de la terrasse.

C'est alors qu'il aperçoit, le corps courbé en deux, soufflant comme s'il était à l'article de la mort, Kallias qui trébuche à chaque pas.

« Ferme les yeux et saute », lui crie Timoklès.

Kallias, sans regarder, sans réfléchir, sans

prendre le temps d'avoir peur, se précipite dans le vide. Timoklès saute derrière lui.

Les chiens aboient furieusement à l'à-pic de la terrasse. Les archers tirent vainement dans l'onde noire leurs flèches de roseau. Darius arrive enfin. Les hommes, sinon les bêtes, se taisent à son approche. Longtemps le roi contemple le fleuve qui s'écoule à ses pieds, puis le ciel zébré d'éclairs. Il demande son arc à son écuyer. Et, le visage empreint d'une souveraine colère, il tend son arc vers la voûte céleste, lance une flèche dans les sombres nuées en s'écriant :

« O dieu du ciel, permets-moi de me venger des Athéniens ! »

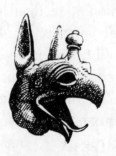

11

Retrouvailles attendues
et inattendues

Le voyage des deux amis à travers la Perse dure six mois. Ils ont d'abord dû se cacher pour éviter les escadrons aux chevaux rapides qui sillonnaient le pays à leur poursuite. Ensuite, ils ont été faits prisonniers par des villageois. Ils avaient insulté le dieu des fleuves en se lavant les mains dans une rivière. Telles sont les coutumes perses. Plus tard, Kallias est tombé malade. Ses pieds ont gonflé considérablement et il ne pouvait plus marcher. Timoklès, en échange de quelques services, s'est fait donner par un paysan une vieille charrette à âne. Il y a installé Kallias. Puis, prenant la place de l'âne, à travers plateaux et déserts, il a tiré son ami vers l'Occident.

Enfin ils atteignent les boucles du Méandre et les cités d'Ionie. Quelques jours plus tard, le promontoire de Milet apparaît à l'horizon. La vie a repris depuis l'incendie de la ville. Des plants d'olivier, encore minuscules, s'étendent en rangées régulières. L'orge et le blé recouvrent les champs. Bientôt ils aperçoivent la petite cabane du philosophe, d'où sort une mince fumée noire. Timoklès hâte le pas, malgré le poids de la charrette, tant son impatience est grande.

Lorsqu'il ouvre la porte, Chrysilla pousse un cri et se précipite dans ses bras. De gros sanglots de joie secouent sa poitrine. Timoklès la serre très fort en disant :

« Ce n'est pas la peine de pleurer. Je n'ai pas de vase pour garder tes larmes. »

Chrysilla balbutie entre deux sanglots :

« Menteur, fourbe, traître, tu as dit cent jours ! Et cela fait deux cent quatre-vingts jours que je t'attends. »

Timoklès s'adresse au philosophe :

« Elle a été tranquille et sage ?

— Très sage. »

Timoklès marque un signe de surprise et ajoute :

« Il faut chercher Kallias, il est malade. »

Quand Chrysilla découvre le jeune homme allongé dans la charrette, elle éclate de rire.

« Je vois que l'as de la parole est toujours aussi mauvais marcheur ! »

*
* *

Pendant trois jours, Timoklès et Kallias ne font que dormir et manger. Le philosophe soigne les pieds du jeune homme en lui faisant des cataplasmes de vin chaud mélangé à de la poudre d'amande de pin. Le quatrième jour, Chrysilla, les yeux brillants d'émotion, dit à son frère :

« Timoklès, ferme les yeux et raconte-moi la guerre de Troie. »

Le garçon n'a pas oublié la légendaire description du bouclier d'Achille. Pendant qu'il récite le texte d'Homère, Chrysilla prend un stylet et dessine des caractères sur une tablette enduite de cire.

Elle la tend à son frère.

« Maintenant, ouvre les yeux. »

Timoklès s'empare de la tablette et déchiffre :

« *Tu vois, Timoklès, je sais lire et écrire. Chrysilla.* »

« Cela ne sert à rien pour une femme ! » s'exclame son frère.

Sans tenir compte de cette réflexion méprisante, Chrysilla continue à faire étalage de son récent savoir :

« Sais-tu reconnaître un triangle rectangle ? »

Timoklès est médusé par la nouvelle extravagance de sa sœur.

« Un triangle est rectangle, reprend sentencieusement Chrysilla, lorsque le carré de l'hypoténuse est égal à la somme des carrés des côtés opposés. C'est Pythagore qui l'a dit. Pythagore est un philosophe d'Ionie.

— Ma pauvre fille, comprends-tu un seul mot de ce que tu racontes ? »

Alors Kallias s'écrie de sa voix mélodieuse :

« O Zeus, ô tous les dieux du ciel, je vois un prodige plus stupéfiant qu'une pluie d'or, qu'une jument accouchant d'un lézard, qu'un olivier poussant en dix jours !

— Que vois-tu, par Athéna ? demande naïvement Chrysilla.

— Je vois une fille qui pense ! »

Indignée, Chrysilla le bombarde de figues. Mais Kallias continue imperturbablement :

« Si grande est la puissance de Zeus, que bientôt nous entendrons les animaux eux-mêmes réciter de la géométrie !

— C'est vous qui êtes insensés, dit le philosophe avec douceur. Les femmes doivent cesser d'être ignorantes et aller à l'école, comme les garçons. »

Kallias, repris par l'ivresse de discuter, s'exclame à nouveau :

« Oserais-tu affirmer, philosophe imprudent, que les femmes devraient aussi voter les lois ? »

Le philosophe hoche la tête avec réprobation.

« Vous autres, sophistes, vous avez l'habitude d'exagérer les choses jusqu'à la stupidité. »

Puis, réfléchissant avec gravité, il ajoute :

« Si tu veux ma pensée, la voici. Il faudra aux femmes beaucoup de siècles pour qu'elles deviennent capables de voter les lois. Mais elles doivent dès maintenant commencer à s'instruire.

— Car l'ignorance est le plus grand des maux », ajoute Chrysilla.

*
* *

Timoklès n'a plus qu'une seule idée en tête : retourner à Athènes. Dès le lendemain matin, il se dirige vers Milet pour trouver un bateau. Le port est désert. Les navires, sans chargement ni marins, oscillent, inutiles et désolés. Seul un petit enfant joue sur le quai avec une belette apprivoisée.

« Pourquoi n'y a-t-il personne ?

— Personne, personne, répond l'enfant.

— Mais pourquoi ?

— Les bateaux dorment. Ils ont sommeil. »

Timoklès renonce à obtenir des explications plus rationnelles et remonte dans la ville. Sur la place, les pêcheurs et les marins sont rassemblés.

Timoklès s'approche de l'un d'eux.

« Je cherche un bateau pour aller à Athènes. »

L'homme hausse les épaules sans répondre. Timoklès s'énerve.

« Je te parle ! »

L'homme le dévisage comme s'il avait affaire à un insensé.

« Mais réponds-moi ! » insiste le garçon.

L'homme déclare d'un ton lugubre :

« Ils ont des bateaux par milliers, pour les soldats, pour les chevaux. On ne peut même plus voir l'écume des vagues. »

Timoklès s'apprête à quitter un interlocuteur aussi bizarre, mais l'homme le retient par le bras.

« Ils incendient les temples et massacrent les populations de toutes les îles qui refusent de se soumettre.

— Qui ?

— Le satrape de Sardes. Il est parti avec une armée innombrable. Il va écraser les cités grecques en commençant par Athènes. Et tu veux qu'on t'emmène là-bas ? Autant aller tout de suite aux enfers ! »

Timoklès s'affole à l'idée de ne pouvoir retrouver sa patrie. Il s'avance au milieu de la place et s'écrie :

« Je cherche un marin pour m'emmener à Athènes ! Je lui donnerai tout ce que mon père a de plus précieux ! Je lui donnerai tout ce qu'il voudra. »

L'assistance semble ne pas l'entendre. Sans qu'il en comprenne la raison, les hommes s'écartent de lui et s'éloignent en silence dans les rues adjacentes.

« Ne partez pas, leur crie-t-il. Les Perses ne sont pas invincibles. Je le sais. Je leur ai échappé. Nous arriverons en Grèce ! »

Les dernières silhouettes disparaissent derrière les maisons. Timoklès se retrouve seul sur la place déserte, malheureux et stupide. C'est alors que, sortant de l'ombre où il s'est dissimulé, s'avance l'Œil du Roi. Il fait un signe de la main et dix gardes surgissent derrière lui.

Timoklès détale aussitôt vers la rue la plus proche, dans l'espoir de semer ses poursuivants. Malheureusement, la nouvelle ville de Milet a été reconstruite selon un plan nouveau et original. Il n'y a plus de ruelles tortueuses, mais de longues rues droites et parallèles qui se coupent perpendiculairement. Il y est impossible de se dérober aux regards. Timoklès court pourtant d'une rue à l'autre, cherchant la première issue possible. Devant une maison spacieuse, un chat miaule, pitoyablement. On lui entrouvre la porte. Timoklès se précipite à la suite de l'animal. La porte se referme.

Une esclave, jolie et élégante, lui sourit. Elle ne paraît pas surprise de son intrusion brutale et se contente de déclarer :

« Tu viens voir ma maîtresse ? Elle t'attend.

— Mais je ne la connais pas ! »

Indifférente à sa remarque, la servante le fait entrer dans une pièce aux divans écarlates. Le garçon reste seul un moment, perplexe et troublé par les forts parfums qui se consument lentement. Puis une voix connue se fait entendre :

« Mais je te connais ! Tu t'appelles Timoklès. Celui qui devient célèbre par son courage. »

Il reconnaît à son tour Timonassa, la femme de Corinthe. Elle est toujours aussi belle, plus belle peut-être, tandis qu'elle s'assied avec une grâce charmante sur un divan.

« Tu dois être un favori des dieux pour avoir vaincu le philtre de l'oubli », lui dit-elle avec un sourire délicieux.

Timoklès sent s'évanouir toute son ancienne colère contre la femme de Corinthe. Il ne ressent plus pour elle qu'une confiance infinie.

« Je suis poursuivi par l'Œil du Roi. Aide-moi, Timonassa. Aide-moi à retourner à Athènes. Athènes est menacée. »

Et, d'une voix précipitée, il raconte toutes ses aventures. Enfin il se tait, attendant avec impatience la réponse de Timonassa. Mais elle paraît absente, rêveuse, lointaine. Enfin elle déclare avec lenteur :

« Je suis venue ici pour trouver les plantes dont j'ai besoin. La Perse est un pays merveilleux pour les plantes. De plus, il y a tellement de caravanes qui montent et qui descendent. »

Timoklès l'écoute, stupéfait. À nouveau, la colère monte dans son cœur contre cette femme si séduisante qui finit toujours par se moquer de lui.

Timonassa lui sourit à nouveau.

« Pourtant, je préfère notre pays. Il y a en Grèce une vivacité des esprits qui agite l'air d'une manière agréable. Toute cette turbulence de paroles fait une musique joyeuse comme un gazouillis d'oiseaux. »

Puis elle ajoute sur un ton de confidence :

« Les Grecs sont fiers, et j'aime la fierté des hommes. Tu me comprends, Timoklès ? »

Le garçon n'a pas le temps d'en apprendre davantage sur ce qui séduit Timonassa, car de grands coups sont frappés à la porte de la maison. Il entend la servante répéter docilement :

« Ma maîtresse t'attend. Elle te recevra dans un moment. »

Les yeux de mer d'été de la Corinthienne passent brusquement à l'orage. En un instant, elle abandonne sa nonchalance et se redresse, tendue, précise, puissante comme une lionne prête au combat.

« Va dans ma chambre. Surtout, ne bouge pas, ne parle pas et ne t'enfuis pas. »

Le ton est si impérieux que Timoklès obéit promptement à ses ordres.

Timonassa fait entrer l'inconnu, qui n'est autre que l'Œil du Roi. Affectant la douceur, elle lui dit :

« Entre, étranger. Tu es le bienvenu dans ma maison.

— Qui es-tu ? demande sèchement l'Œil du Roi.

— Je suis corinthienne. As-tu déjà été à Corinthe, étranger ?

— On a vu un garçon entrer chez toi. C'est un meurtrier. Amène-le-moi. »

Timonassa allume quelques bâtonnets d'encens à l'odeur étourdissante.

« Je dormais, répond-elle. Les coups frappés à ma porte m'ont réveillée. Veux-tu te désaltérer ? »

L'Œil du Roi scrute la pièce dans tous les coins.

« Je vais faire fouiller ta maison. »

La magicienne verse dans un gobelet une liqueur dorée et la lui tend.

« Je ne connais pas les coutumes perses. Mais en Grèce, on offense son hôte en refusant ce qu'il vous offre. »

L'homme ne bouge pas. Un long moment, le regard perçant de l'Œil du Roi, et les yeux couleur de tempête marine de Timonassa s'affrontent dans un combat silencieux. Puis, comme s'il chancelait devant une force plus grande que la sienne, l'Œil du Roi saisit le gobelet et avale la liqueur de l'oubli.

Les gardes frappent à leur tour à la porte, inquiets de l'absence de leur chef. L'impitoyable confident de Darius reste allongé sur le divan comme un enfant hébété et confiant. Timonassa va chercher Timoklès.

« Suis-moi. »

Elle l'entraîne jusqu'à la porte d'entrée, l'ouvre, et le montre aux gardes.

« Votre maître a trouvé ce qu'il cherche. Il n'a plus besoin de vous. »

Et elle leur ferme la porte au nez.

« Maintenant, Timoklès, obéis-moi et ne pose aucune question. »

*
* *

Le lendemain, avant le point du jour, Timoklès et la magicienne longent les quais déserts du
port de Milet. Timonassa s'arrête devant un beau
navire.

« Adieu, Timoklès, je pars pour Corinthe.

— Tu me laisses seul ici ?

— Tu trouveras au bout de la jetée tes amis
qui t'attendent dans une barque de pêcheur. »

Et comme Timoklès a l'air complètement
hagard, elle ajoute en riant :

« Mais réveille-toi ! Crois-tu pouvoir lutter
contre les Perses avec cet air de somnambule !

— Ce sont les parfums de ta maison qui me
tournent la tête.

— J'en changerai pour toi... si tu reviens me
voir. »

Puis elle ajoute d'un ton bref :

« Maintenant, va-t'en. J'ai hâte de partir. Et dis
aux Athéniens que les Perses ne doivent pas venir
troubler le bonheur de Corinthe. »

*
* *

Dans la barque du pêcheur, Chrysilla harcèle son frère de questions :

« Raconte, Timoklès. Pourquoi partons-nous en secret ? Qui est cette femme qui nous a dit que tu courais un grand danger ? Kallias affirme que c'est une magicienne. Je suis sûre qu'il ment. Mais parle donc. »

Perplexe devant le mutisme de son frère, elle l'examine des pieds à la tête. Ne constatant rien d'anormal, elle demande à Kallias :

« De quoi souffre-t-il ?

— Il souffre de nostalgie.

— Ah ! » fait Chrysilla, déconcertée par ce mal inconnu.

Le pêcheur qui les conduit est d'une étonnante laideur. La peau de son visage est criblée de trous autour d'un nez rond et rouge comme une bette-rave. Il tient la tête rentrée dans de puissantes épaules. Son expression est impénétrable. Les trois compagnons n'osent pas trop lui parler.

Pourtant, à la nuit tombée, quand le bateau

continue sa course dans l'obscurité, Kallias, inquiet, s'approche de lui.

« Tu navigues la nuit ?

— Tu le vois bien.

— Ne vaut-il pas mieux rejoindre une île et dormir sur la terre ferme ?

— Si tu es meilleur marin que moi, achète ma barque et prends le gouvernail. Tu me déposeras dans la première île. »

Kallias, décontenancé, va rejoindre Timoklès.

« Peut-on faire confiance à cet homme ? »

Timoklès fait un geste évasif.

Tous deux, près de Chrysilla endormie, restent silencieux. Timoklès s'inquiète d'avoir engagé sa sœur et son ami dans ce voyage incertain. Kallias se méfie des magiciennes. À tout moment, ils craignent d'échouer sur un récif.

Enfin, les brouillards de la nuit se déchirent sur la pâle clarté du jour. Devant eux, au pied d'une île dont les arbres calcinés fument encore, s'étend la flotte perse. Des centaines de trières, pressées les unes contre les autres, se préparent au départ. Les chevaux, qui craignent la mer, font un vacarme effroyable. Le pêcheur, imperturbable, continue à se diriger vers l'armée ennemie. Timoklès se précipite sur lui :

« Tu nous as trompés ! Tu nous a trahis ! Je vais te jeter à la mer. »

Si fort que soit Timoklès, l'homme l'est beaucoup plus que lui. Il le saisit par la cheville et le fait basculer par-dessus bord. Chrysilla se jette à son tour sur le pêcheur pour le bourrer de coups :

« Traître ! canaille ! tyran ! »

L'homme, sans sourciller, la pousse à son tour dans les vagues.

Puis il se tourne vers Kallias :

« Dis-leur de nager derrière le bateau. Et cache-toi au fond de la cale. »

Le pêcheur reprend tranquillement le gouvernail et barre vers les trières ennemies.

Les soldats perses regardent avec méfiance cette petite barque qui se promène imprudemment sur la mer Égée. Dès qu'il se trouve à portée de voix, le pêcheur leur crie :

« J'ai trouvé ces deux prisonniers grecs qui cherchaient à s'enfuir ! Regardez-les qui essaient de remonter à bord ! Ils ont peur de mourir ! »

En serrant le vent au plus près, le pêcheur accélère l'allure de sa barque. Timoklès et Chrysilla s'épuisent à le suivre ; les soldats perses rient. La nouvelle se propage de navire en navire. Sur tous les ponts, on se penche pour s'amuser du spectacle des fuyards qui ont peur de mourir.

Kallias admire le sang-froid de cet homme renfermé et secret. Il comprend maintenant que le pêcheur espérait dépasser la flotte perse en profitant de l'obscurité. Le jour s'est levé trop tôt. Et son astuce leur évite d'être conduits devant le satrape de Sardes. Il pense aussi que Chrysilla ne comprend rien à ces subtilités et qu'elle s'affole derrière le bateau. Aussi, caché par la voile, il rampe vers l'arrière et lui parle doucement.

« Nous serons bientôt à Athènes et tu diras à Elpénor que tu sais lire et écrire. Il en sera tellement étonné qu'il ira faire des sacrifices aux dieux. Hermès, qui passera par là, entendra cette curieuse nouvelle. Il volera aussitôt jusqu'au mont Olympe pour annoncer à Zeus qu'une fille athénienne n'est plus ignorante. Sa femme, Héra, toujours si digne, en perdra sa sandale. Le cygne d'Artémis battra des ailes de joie, et Vénus demandera de son air languissant : "Comment s'appelle cette Athénienne ? Chrysilla, dis-tu ?" Et au banquet du père des dieux, en versant l'ambroisie dans des coupes d'or, on se répétera l'histoire de Chrysilla qui connaît le théorème de Pythagore.

— Mais je l'ai oublié ! » s'exclame Chrysilla catastrophée.

La barque maintenant s'éloigne des navires perses. D'ailleurs, après cet intermède amusant, les marins s'occupent de leurs manœuvres. Dès que tout danger est écarté, les deux enfants remontent à bord.

12

L'Agora est en effervescence

Ce matin-là, Elpénor s'est rendu dans la rade de Phalère. Depuis qu'il a appris le naufrage de son maître et la disparition des voyageurs, il vient régulièrement scruter la vaste mer dans l'espoir de voir revenir Oloros et ses enfants.

Pourtant, aujourd'hui, il a des raisons plus sérieuses d'espérer. Certains signes ont été extrêmement favorables. Non seulement une chouette s'est posée à droite de sa lucarne toute la nuit, mais c'est toujours dans un registre aigu qu'elle a modulé ses ululements.

Aussi, lorsque au milieu du jour il voit s'approcher une petite barque à la voile blanche, son cœur se met à battre violemment dans sa poitrine. Certes, il a déjà eu de faux pressentiments. Il a déjà couru vers le quai, dans une hâte fébrile, pour ne trouver que déception et tristesse en voyant débarquer des inconnus. Mais cette fois-ci, il en est certain, son cœur ne le trompe pas.

Ils sont bien là, joyeux, rapides, impatients, comme avant.

« As-tu des nouvelles de notre père ? » demande Timoklès.

Le vieil esclave, trop bouleversé pour parler, hoche la tête négativement.

« Et comment va notre mère ? »

Suit un déluge d'informations qui se bousculent en désordre : Chrysilla sait lire et écrire. Timoklès n'a pas vu le trésor des Athéniens. Ils ont été vendus comme esclaves. Puis l'Œil du Roi, Darius, Samos, Milet, Suse. Enfin, les Perses sont sur la mer Égée.

À ce souvenir, momentanément oublié dans la joie du retour, Timoklès court vers la ville, laissant Kallias et Chrysilla faire leurs adieux au pêcheur qui repart pour Corinthe.

« Timoklès, où vas-tu ? Attends-moi ! »
appelle vainement Elpénor.

Le garçon a déjà disparu.

*

* *

En retrouvant la campagne de l'Attique, floris-
sante, bruissante, gazouillante, Timoklès sent
monter en lui une ivresse de bonheur. Il s'émer-
veille de tout ce qui l'entoure : des hêtres, des
chênes, des figuiers, des oliviers aux feuilles
argentées, des cyprès odorants, des petits ânes
trottant sur les chemins cailouteux, des chèvres
broutant sur les monts de l'Hymette, et enfin, et
surtout, des murs clairs, légers, aériens des
temples de l'Acropole. Dieux, que la cité
d'Athéna est belle dans la clarté du jour !

Sur l'Agora, les hommes font encore la sieste
ou jouent sous les platanes.

« Mais c'est Timoklès ! » s'écrie une silhouette
ronde entre les colonnes de la Tholos.

Hyperbolos s'approche du garçon de toute la
vivacité de ses courtes jambes.

« Quelles nouvelles apportes-tu ? Tu dois en
avoir de considérables. »

Timoklès ne peut s'empêcher de rire en retrouvant l'Agora inchangée. Mais, vite, il redevient soucieux.

« J'ai une nouvelle très grave. Mais elle n'est pas pour toi. Elle est pour un stratège. »

Se rendant compte qu'il a quitté la ville depuis plus d'un an, il demande :

« Qui sont les stratèges cette année ? »

Hyperbolos montre du doigt un homme qui traverse la place d'un air décidé. Timoklès s'approche de lui. En le voyant, le visage rude et énergique de Thémistocle s'éclaire d'un sourire.

« Tu es le fils d'Oloros ! Quelles nouvelles de ton père ?

— Je ne sais pas. On ne sait rien. Mais j'ai un autre message pour toi : les Perses sont sur la mer Égée. Ils se dirigent vers Athènes. »

Thémistocle hésite à croire les propos d'un garçon aussi jeune et remarque :

« Je sais qu'ils préparent une flotte. Mais elle ne peut se diriger contre nous. Leur roi ne nous a pas envoyé de héraut pour annoncer le commencement des hostilités.

— Quand Darius est en colère, il peut enfreindre tous les usages. J'ai beaucoup de choses à t'apprendre. »

Thémistocle lui fait signe de le suivre à la tholos.

Depuis le retour des voyageurs, la maison d'Oloros, celle d'Hermippe, le quartier du Céramique tout entier n'est plus qu'une ruche d'abeilles pour les fêtes du soir.

La mère de Chrysilla est devenue plus grave depuis le départ de son mari. Elle ne cesse de regarder sa fille, et s'étonne que sa progéniture ait traversé vivante des événements aussi terribles. La nourrice tente de redonner à sa protégée l'apparence d'une fille de bonne famille. Elle la baigne, l'enduit de crème, l'épile à la cendre chaude, peigne et frise ses cheveux, la couvre de parfums. Enfin, vêtue d'une longue tunique, une ceinture brodée à la taille, les cheveux gracieusement relevés sur la tête, Chrysilla est prête pour le dîner donné en son honneur.

Le soir, intarissable, les yeux brillants comme des émeraudes et la voix dramatique, elle raconte aux amies de sa mère, suspendues à ses lèvres, leurs aventures au pays des barbares.

Kallias et Timoklès, après avoir longuement rapporté aux stratèges tout ce qu'ils savent des Perses, sont les héros du banquet d'Hermippe. Celui-ci a invité tous ceux qui apporteraient à boire. La joie du retour et la peur de l'arrivée des ennemis donnent à la soirée un ton enfiévré et bruyant qui tient éveillé tout le quartier. Timoklès est le roi du banquet. Des chanteuses et des danseuses viennent gratuitement célébrer les voyageurs. Tard dans la nuit on joue au jeu du cottabe en vidant les cratères de vin.

*
* *

Le lendemain, la fièvre règne sur l'Agora. Des courriers ont été envoyés sur les côtes de l'Attique pour s'informer des manœuvres de la flotte ennemie. D'autres sont partis prévenir les citoyens des dèmes ruraux de la convocation urgente de l'Assemblée. Elle doit débattre de la conduite à suivre : faut-il affronter les Perses, ou se soumettre au Grand Roi ?

Cimon, l'ancien rival de Timoklès aux jeux du gymnase, et son père sont les chefs du parti de la soumission. Cimon court de groupe en groupe, semant l'épouvante dans les esprits : les Perses ont des chevaux dont les cavaliers écraseront les fantassins comme les ours écrasent les fourmis. Ils ont des arcs et des flèches qui tuent à distance, avant même que les soldats aient pu brandir leurs épées. Ils sont aussi nombreux qu'un nuage de sauterelles qui ravage tout sur son passage. La sagesse est d'accepter un destin envoyé par les dieux, et de donner la terre et l'eau au roi Darius. Sinon le pays sera dévasté, la ville incendiée, la population tuée ou déportée, et il ne restera plus rien de la cité des Athéniens.

La terreur gagne la foule. Chacun mesure en son cœur effrayé l'inutilité d'un combat aussi inégal et les conséquences intolérables d'une défaite. Alors Kallias, la foudre dans les yeux, monte sur le tréteau d'une marchande de guirlandes, et apostrophe l'assistance :

« Citoyens d'Athènes, vous laisserez-vous effrayer par Cimon, cet homme lamentable ? Il vous promet la vie sauve, mais quelle sera votre vie ? Comment regarderez-vous vos femmes à la maison, après vous être lâchement soumis à un despote barbare ? Que raconterez-vous à vos enfants de l'honneur abandonné d'une cité qui a accepté de se rendre ? Qu'oserez-vous dire à vos

amis, à vos frères, à vos pères, les soirs de banquet ? »

Puis, jetant sur la foule des regards fulgurants,
il ajoute :

« C'est vrai qu'ils ont des cavaliers, mais nous
avons la force de la justice. C'est vrai qu'ils ont
des archers, mais nous avons la puissance des

lois. C'est vrai qu'ils sont des milliers, mais nous avons l'amour de la liberté. »

Kallias saisit alors une branche à ses pieds et la dresse vers le ciel.

« La liberté, citoyens d'Athènes, est aussi fragile que ce rameau d'olivier qui ceint le front de la fille de Zeus. Mais c'est elle, dont le nom émeut jusqu'à l'âme, qui rend plus éclatante la lumière du jour, plus joyeuse l'audace de vos pensées, plus tendre l'amour dans vos cœurs, plus fiers vos visages. L'amour de la liberté, Athéniens, sera votre seule arme contre les Perses. Mais c'est une arme invincible contre laquelle s'acharneront en vain tous les soldats de la tyrannie. »

Kallias descend de sa tribune improvisée. Une femme s'approche lentement du tréteau de la marchande, prend une branche d'olivier et la serre contre sa poitrine. Une autre la suit, emportant à son tour un branchage de l'arbre sacré. Un long cortège recueilli se forme. Hommes et femmes, silencieux et émus, montent vers l'Acropole. Chacun dépose au pied de la fille de Zeus son rameau d'olivier.

*
* *

Le lendemain matin, Kallias est malheureux. Il
erre pitoyablement au pied de la colline de la
Pnyx. L'Assemblée délibère et il en est exclu. Son
statut de métèque l'écarte du seul lieu où, de
toute son âme, il voudrait être.

Dès l'aurore les citoyens sont venus en grand
nombre et les gardes scythes n'ont pas eu à
tendre leur corde peinte en rouge. Mais que
disent-ils là-haut ? Il lui semble entendre Cimon
et ses partisans proposer l'alliance honteuse avec
le roi des Perses. Que ne peut-il monter à la tribune aux harangues, apporter son aide à Thémistocle pour défendre la démocratie. Les mots se
bousculent dans sa tête, percutants, lucides,
convaincants ; jamais il n'a senti sa pensée aussi
claire, sa parole aussi précise.

Autour de lui les serviteurs des temples
conduisent moutons et oiseaux pour que les
prêtres déchiffrent dans leurs entrailles les présages. Le vent répand sur la cité le fumet des
sacrifices. Mais voilà que, dans les cris et les
exclamations, se répand la terrible nouvelle. Un

courrier vient d'arriver. Il dit que les Perses ont incendié Érétrie, dans l'île la plus proche de la ville, et que la flotte se dirige vers l'Attique.

*
* *

Pendant ce temps, dans la maison d'Oloros, Hermippe et quelques amis sont réunis pour l'oblation de la chevelure de Timoklès. Habituellement cette cérémonie a lieu, pour les garçons qui viennent d'avoir seize ans, pendant les fêtes des Apatouries. Mais Timoklès était absent à ce moment-là. Sa mère a donc décidé de remédier à ce retard.

Tous sont rassemblés autour de l'autel du foyer. Timoklès offre au dieu Héraclès une mesure de vin, puis Hermippe prend la parole :

« En l'absence de ton père Oloros, qui est parti découvrir la frontière du monde, j'atteste que tu es bien son fils et que tu appartiens au dème du Céramique. »

Un coiffeur commence à couper les longs cheveux bouclés pour arracher définitivement Timoklès à l'enfance. Le garçon se tient bien droit sur le tabouret, l'air extrêmement grave. Chrysilla est très émue et la nourrice pleurniche.

Hermippe prend un mouton qu'il sacrifie aux dieux en disant :

« O Zeus, écoute ma prière ! À l'heure du danger effroyable qui nous menace, protège cet éphèbe pendant les mois qui le séparent de ses dix-huit ans pour qu'il devienne citoyen athénien. »

Après la cérémonie, Chrysilla ramasse avec soin les cheveux de son frère.

« Je vais les accrocher à ma peau d'ours, lui dit-elle. En souvenir du jour où tu as dansé à ma place devant le tyran de Samos. Nous n'avons plus que les yeux qui se ressemblent. Cela me rend toute triste. »

Timoklès, qui cherche maintenant à se conduire en adulte, lui répond avec le plus grand sérieux :

« L'heure est trop grave pour que je m'intéresse à des émotions de fille. Je dois me rendre immédiatement sur l'Agora. »

À peine a-t-il quitté la pièce que Chrysilla se précipite à la fenêtre.

« Timoklès ! J'ai oublié de te dire qu'Elpénor va m'apprendre la guerre de Troie !

— La femme de Zeus en perdra sa deuxième sandale », lui répond son frère qui a déjà oublié de parler avec sérieux.

La nourrice se fâche.

« Chrysilla, une jeune fille de bonne famille ne crie pas à la fenêtre comme une vendeuse d'anguilles.

— Misère, soupire Chrysilla. Je n'ai jamais entendu de propos aussi bornés.

— As-tu perdu l'esprit, pour ne plus savoir ce qui est bien et ce qui est mal ?

— Je sais, nourrice, ce qui est mal. C'est l'ignorance. L'ignorance est le plus grand des maux. »

Et, comme la nourrice la regarde avec des yeux ébahis, elle ajoute :

« C'est un philosophe qui me l'a appris. Bientôt, il viendra à Athènes pour le dire à tout le monde. »

*
* *

Timoklès retrouve l'Agora en pleine effervescence. L'Assemblée a décidé d'affronter les Perses et de se préparer pour la bataille. On affiche la liste du catalogue sur laquelle sont écrits les noms de ceux qui sont mobilisés. Les marchands déballent hâtivement la panoplie du fantassin athénien : casques de feutre entourés de métal, prolongés par un garde-nez et un protège-nuque ; cuirasses constituées de deux plaques de bronze réunies par des crochets ; jambières de bronze pour protéger les jambes. Les marchands d'armes proposent des boucliers ronds, décorés de têtes de Gorgone contre le mauvais sort, des lances de bois terminées par des pointes métalliques, de longues épées à la lame rectiligne et d'autres courtes comme des poignards.

Hyperbolos s'agite encore plus que de coutume.

« As-tu vu Pheidippidès ? demande-t-il à Timoklès. Je le cherche partout.

— Pourquoi ?

— Il faut envoyer d'urgence un message à Spartre, pour que son armée vienne à notre aide. C'est la meilleure armée de Grèce. »

Un prytane s'approche d'Hyperbolos.

« Je viens d'apprendre que Pheidippidès est parti ce matin pour Marathon, afin de surveiller la mer.

— Malheur ! fait Hyperbolos consterné. Les

dieux nous abandonnent. C'est notre courrier le plus rapide. »

Timoklès se propose aussitôt.

« Je peux y aller. Tu sais que je cours vite et longtemps.

— C'est une responsabilité considérable ! »

Hyperbolos l'examine d'un air perplexe. Il ajoute :

« Peut-être, peut-être. Tu as l'air plus sérieux avec tes cheveux courts. Va voir Thémistocle à la tholos. »

*
* *

Les stratèges sont réunis dans la rotonde de brique et organisent la défense du territoire. Ils sont mécontents d'être dérangés dans un moment aussi grave.

« Que veux-tu ? demande sèchement Thémistocle.

— Je viens te proposer d'être le messager d'Athènes. J'irai à Sparte demander l'aide de son armée.

— Tu est bien jeune.

— Je cours plus vite que n'importe quel courrier, et j'ai beaucoup de résistance. J'ai couru jusqu'à Suse. Je sais aussi lancer le javelot pour me défendre.

— Tu n'es pas encore citoyen, remarque un autre stratège.

— Pas encore. Mais je connais déjà le serment des éphèbes. »

Timoklès s'avance vers l'autel consacré aux dieux. Il tend la main et dit d'une voix ferme :

« Je lutterai pour la défense de l'État et des sanctuaires. Je n'abandonnerai pas mon camarade de combat. J'obéirai aux lois établies, et, si quelqu'un veut les renverser, je l'en empêcherai de toutes mes forces et avec l'aide de tous. »

L'urgence de la situation et la détermination de Timoklès font fléchir la réticence des stratèges.

« Combien de temps te faut-il pour arriver à Sparte ? C'est à mille cent quarante stades d'ici.

— Un jour.

— Sauras-tu leur expliquer comme il convient que sans l'aide de la meilleure armée de Grèce, nous n'arriverons pas à vaincre les soldats du Grand Roi ?

— J'ai passé une année en Perse, et j'ai longtemps écouté les discours de mon père. Je saurai leur parler. »

Les stratéges délibèrent un moment avant de lui confier un message aussi décisif. Thémistocle se tourne vers lui.

« Pars dès maintenant. Et que les dieux te protègent. »

13

Le trésor des Athéniens

Après s'être renseigné sur le chemin à suivre, Timoklès longe la côte qui mène jusqu'à Corinthe. Il est inquiet. Il craint une défaillance de son corps ou une rencontre imprévue qui compromette sa mission. Or, tout retard risque d'être fatal pour Athènes.

Le ciel est parfaitement bleu, le soleil haut dans le ciel et la chaleur torride. Timoklès dégouline de sueur car aucune poussière n'enduit son corps.

Après Corinthe commence la presqu'île du

Péloponnèse au sud de laquelle se trouve Sparte. Il délaisse le chemin de côte qui rallonge le trajet et s'enfonce à l'intérieur des terres. Dans les collines, les chemins sont étroits, envahis d'arbustes dès que le sol n'a pas été piétiné par les sabots des mules.

La nuit tombe quand il traverse de hautes montagnes aux crêtes encore enneigées. Puis s'étendent les plateaux d'Arcadie où les ruisseaux coulent même en été. La faim fait bourdonner sa tête. Par prudence, pour éviter un malaise, il cueille des olives et des grappes de raisin dans les vastes vergers.

Toute la nuit, il court dans les hauts plateaux verdoyants entourés de barrières rocheuses. Par moments, des vagues de sommeil troublent ses yeux. À d'autres, dans son esprit surexcité, surgissent des visions effrayantes de l'Acropole incendiée et de la ville ravagée.

À l'aube, il doit franchir encore une haute chaîne de montagnes. Jamais il n'a trouvé un voyage aussi long et aussi éprouvant. Enfin s'étend à ses pieds une grande plaine très plate. Quelques bourgs sont éparpillés, ici et là. Près d'un fleuve, une bourgade plus importante que

les autres est dominée par un temple modeste.
Timoklès est envahi par une sueur d'effroi.

« Je me suis trompé de chemin, se dit-il. La
prestigieuse cité guerrière ne peut avoir une aussi
piètre apparence. »

Plein d'anxiété, il descend vers le fleuve et se
renseigne. C'est bien Sparte, cette bourgade sans
beauté ni splendeur, Sparte qui ne s'intéresse
qu'aux valeurs militaires.

Soulagé, le garçon se précipite dans la ville. Elle est en fête. Des jeunes filles, dépourvues de toute grâce féminine, font de la gymnastique en rangs réguliers, montrant leurs jambes nues sous leurs tuniques courtes. Les jeunes gens portent des cheveux longs couverts d'huile parfumée. Ils sont regroupés en phalanges, et marchent en cadence au son du hautbois. Des enfants aux crânes rasés jouent dans la rue.

Timoklès cherche à rencontrer les chefs de la cité. Mais en ces jours d'allégresse ils ont déserté la tholos pour partager les divertissements de leurs concitoyens. Au comble de l'énervement, le garçon arpente en tous sens la ville pour trouver un magistrat. Au milieu de l'après-midi, les chefs de la cité sont enfin rassemblés pour recevoir le messager d'Athènes. Il y a encore un roi à Sparte. Il y en a même deux, constamment surveillés par cinq magistrats pour éviter la tyrannie. Il y a aussi l'assemblée des Égaux qui se réunit quand la lune est pleine.

Timoklès, très ému par la lourde responsabilité qui lui incombe, s'efforce de parler très distinctement :

« J'apporte un message de la cité des Athéniens. La flotte perse se dirige vers la ville. Les stratèges demandent à l'armée prestigieuse de Sparte de venir au secours d'Athènes. »

Puis il regarde avec appréhension les chefs de la cité. Ils sont graves et restent silencieux. Timoklès craint de n'avoir pas été assez explicite et reprend avec flamme :

« Si les Perses écrasent les Athéniens, ils écraseront la Grèce tout entière. Il n'y aura plus d'hommes libres.

— Nous savons apprécier un danger, remarque un roi d'un ton de reproche. Jamais nous n'avons connu de défaite. »

Timoklès, qui ne sait comment interpréter la remarque du roi, cherche désespérément ce qu'il peut ajouter sans le vexer. Mais les responsables de la ville se mettent à parler à voix basse et il n'ose intervenir.

Enfin, il entend les paroles qui le font bondir de joie :

« Les Grecs doivent rester unis devant la menace ennemie. Nous répondrons favorablement à la demande des Athéniens. »

Timoklès, rayonnant, répond :

« La cité d'Athènes vous sera toujours reconnaissante.

— L'armée se mettra en campagne à la fin de la fête », précise un magistrat.

Timoklès croit avoir mal compris ce qu'il vient d'entendre et demande une confirmation.

« Vous voulez dire que l'armée ne partira pas tout de suite ?

— Après la fête seulement.

— Mais on ne peut pas attendre ! Vous ferez la fête une autre fois ! » s'exclame-t-il avec colère.

Les chefs de la cité désapprouvent son insolence.

Un roi, cependant, lui explique avec patience :

« La loi interdit le départ d'une armée avant que la lune soit pleine.

— Et quand sera-t-elle pleine ?

— Le quinzième jour du mois.

— C'est dans combien de jours ?

— Dans six jours. »

Le messager d'Athènes insiste encore une fois.

« D'ici là, les Perses auront le temps de livrer bataille. Ce sera un désastre.

— Déplaire aux dieux entraînerait plus de désastre encore », déclare un roi avec autorité.

Puis il ajoute, pour lui signifier que l'entrevue est terminée et la décision définitive :

« Tu dois avoir faim et être fatigué. Va te restaurer dans la maison des éphèbes avant de retourner à Athènes. »

*

* *

Timoklès sort effondré de la salle d'audience des deux rois. Que penseront les Athéniens ? L'échec de sa mission est-elle due à son incompétence ? Il n'a pas su leur parler. Il n'a pas su les convaincre. Il aurait dû dire autre chose. Mais quoi ? Kallias aurait-il trouvé des arguments qui obligent les magistrats à enfreindre les lois de leur cité ? Rien n'est au-dessus des lois, disait son père.

La consternation, la colère, la honte se succèdent dans son cœur pendant qu'il se dirige vers une vaste et pauvre maison. C'est là que vivent ensemble les éphèbes, loin de leur famille. Timoklès les rejoint autour d'une grande table où ils mangent un méchant brouet noir. Il ne peut s'empêcher d'éprouver de la rancune pour les habitants d'une ville qui abandonne sa cité, et ne dit pas un mot. Puis, écrasé de fatigue et de cha-

grin, il se rend dans le dortoir et se couche sur
une paillasse de roseaux.

*
* *

Un rayon de lune, de cette maudite lune à moitié pleine, le réveille pendant la nuit. Pressé de
quitter un lieu aussi ingrat, il s'éloigne de la ville.

Il marche lentement, en traversant la plaine,
envahi par de noires pensées. Il ne remarque
même pas la silhouette sale et nue d'un jeune
homme qui s'avance vers lui à pas feutrés. C'est
seulement lorsque la lame d'une courte épée scin-
tille à côté de lui, qu'il sort de sa torpeur, et
attrape violemment le poignet de l'adversaire.
Après une longue étreinte, le jeune homme finit
par ouvrir ses doigts et le poignard tombe sur le
sol. Alors commence une lutte acharnée. Le jeune
homme est fort, souple, rapide.

« Il connaît l'art de la lutte, se dit Timoklès. Ce
n'est certainement pas un paysan, ni un esclave
en fuite. »

Le Spartiate, cependant, est trop impatient,
trop violent. Timoklès prépare mieux ses prises,
attend davantage la faute de l'adversaire. Il se

sent heureux tout d'un coup, heureux de se battre dans cette plaine lointaine, heureux de libérer dans la lutte sa colère et sa peine. Il retrouve les plaisirs de la palestre : la précision des gestes, les coups savamment calculés, la maîtrise de son corps. Le bonheur du combat chasse pour un moment l'anxiété de la menace ennemie.

Maintenant, il tient couché sur le sol le jeune Spartiate.

« Que fais-tu à cette heure avec un poignard ? lui demande-t-il.

— Je passe l'épreuve de la cachette.

— Qu'est-ce que c'est ?

— C'est la loi de Sparte. Pour devenir un homme, un éphèbe doit vivre seul dans la campagne, voler sa nourriture et tuer un esclave. »

Timoklès s'étonne.

« Nous n'avons pas cette loi-là à Athènes. On nous coupe simplement les cheveux et on nous fait prêter le serment des éphèbes.

— Nous sommes une cité guerrière, explique fièrement le Spartiate. Et toi, qui es-tu ?

— Je suis Timoklès, fils d'Oloros, du dème du Céramique. »

Timoklès lâche son adversaire et lui raconte le message dont il était porteur. Les deux éphèbes, rapprochés par l'art du combat, discutent un moment des Perses et des cités grecques.

Enfin Timoklès se relève.

« Je dois repartir. Si nous ne sommes pas tués d'ici là, nous nous retrouverons à Olympie.

— Que les dieux vous protègent, toi et la cité des Athéniens. »

*
* *

La nuit est longue sur les plateaux d'Arcadie. Un vent contraire s'est levé. Maintenant qu'aucun espoir ne soulève plus ses pieds légers, Timoklès souffre de l'altitude, du sol inégal, de la fatigue. Un engourdissement irrésistible le saisit.

« Je vais me reposer un peu. Je n'arrive plus à courir. »

Il s'assied au creux d'un rocher. La lune paraît le regarder d'un air moqueur. Il ferme les yeux pour ne plus la voir et s'endort brutalement.

Il fait un songe. Des moutons longent la mer. Une quantité infinie de moutons qui recouvrent le sol d'un grand tapis de laine blanche. Soudain des cris terrifiants se font entendre. Un être bizarre, moitié homme, moitié bête, avec des jambes de bouc et une longue queue, un corps velu, des yeux rusés dans une figure barbue surmontée par deux cornes, bondit sur le troupeau en hurlant. C'est le dieu Pan. Les moutons sont saisis par cette terreur que l'on nomme « panique » à cause du dieu qui la provoque. Affolés, ils se bousculent en tous sens, et bêlent d'une façon pathétique. Certains s'enfuient dans les collines, d'autres sautent dans la mer où ils se noient. Les vagues ramènent leurs cadavres qui jonchent le rivage. Alors le dieu Pan tourne vers Timoklès son visage malicieux et dit :

« C'est ainsi qu'on gagne les batailles. »

*
* *

Lorsqu'il arrive à Athènes, la ville est à moitié déserte. Les soldats sont déjà partis pour Marathon où se tient la flotte ennemie. Timoklès repart immédiatement vers le nord pour transmettre aux chefs militaires la réponse de Sparte.

Dans l'après-midi, il atteint la plaine arrondie en croissant de lune, couverte de champs de fenouil. À droite, la mer est constellée de trières perses et l'armée étincelante d'or campe sur le rivage. À gauche, huit stades plus loin, les dix mille soldats athéniens sont rassemblés sur la colline.

Timoklès se précipite dans la tente des stratèges et interrompt brutalement leurs conversations.

« Les Spartiates viendront à notre secours. Mais l'armée ne partira que lorsque la lune sera pleine. Telle est la loi de leur cité. »

La consternation apparaît sur les visages.

« Il faut retourner à Athènes », conclut un stratège.

Un silence accueille cette proposition. Une autre voix s'élève :

« Il a raison. Rentrons à Athènes et attendons l'armée de Sparte.

— Ils disent la vérité, ajoute un troisième. Nous ne pouvons pas affronter une armée aussi nombreuse avec dix mille soldats. »

Thémistocle réfléchit longuement. Puis il lève son visage soucieux et demande :

« Quel avantage y a-t-il à se retirer maintenant ? »

Un stratège, irrité, s'exclame :

« Tu ne vois donc pas que nous ne pouvons

engager la bataille dans des conditions aussi folles ! »

Thémistocle constate avec chagrin :

« Si l'armée se retire, nous nous conduirons en lâches. »

Le ton monte entre les chefs militaires.

« Mieux vaut une armée lâche que plus d'armée du tout ! dit l'un.

— Tu es bien généreux du sang des Athéniens », constate un autre.

Thémistocle se redresse avec majesté.

« Et vous, vous êtes bien avares de l'honneur de nos soldats. Croyez-vous qu'en laissant l'effroi s'installer dans les rangs de nos fantassins, nous pourrons obtenir une victoire ? Ne comprenez-vous pas, au contraire, qu'il faut d'abord lutter contre la peur ? Contre cette peur qu'engendre dans les esprits la seule présence de l'armée perse. »

Puis, Thémistocle s'aperçoit que leur jeune messager est encore auprès d'eux et lui dit :

« Laisse-nous. Cette délibération n'est pas pour un éphèbe. »

Timoklès erre autour de la tente d'où sortent de grands éclats de voix.

« Qui a raison ? » se demande-t-il. Pourquoi le

dieu Pan lui a-t-il dit : c'est ainsi qu'on gagne les batailles ? Comment créer la panique ? Comment bousculer d'effroi les soldats perses comme le dieu effrayait les moutons ?

Timoklès se remet à examiner attentivement l'armée ennemie. Elle paraît agitée de grands mouvements de foule. Les lances et les boucliers d'or se déplacent tout le long du rivage. Les uns vont d'un côté, les autres d'un autre, sans direction d'ensemble.

« Que font-ils ? se demande Timoklès. Pourquoi remuent-ils ainsi à l'heure la plus chaude ? »

Les soldats du Grand Roi continuent à se séparer, à se regrouper, à s'éparpiller près de la mer. Puis, les trières à leur tour se mettent en mouvement. Elles s'écartent les unes des autres et dressent leurs voiles.

Timoklès se précipite à nouveau dans la tente des stratèges, malgré leur interdiction.

« Ils rembarquent ! Ils s'en vont ! C'est le moment !

— De quel moment veux-tu parler ? lui demande Thémistocle.

— Le moment de créer la panique. Ils ne nous attendent plus. Nous les attaquerons par surprise. »

Les stratèges sortent de la tente pour regarder à leur tour les déplacements de l'armée perse.

« Ils rembarquent en effet, constate un stratège.

— Ils vont se diriger vers Athènes qui n'est plus défendue, ajoute un autre d'un ton lugubre.

— Nous n'échapperons pas à la cruauté du destin », ajoute un troisième avec résignation.

Thémistocle interrompt ces commentaires défaitistes d'un ton bref :

« Il n'y a plus de temps à perdre. Rentrons sous la tente, délibérons et votons sur la stratégie à suivre. »

*

* *

Longtemps les stratèges délibèrent. Enfin l'ordre est donné de livrer bataille dans la plaine de Marathon. Les soldats aussitôt se mettent en rang, graves et déterminés. Personne ne conteste la décision des chefs. On peut lire au contraire sur les visages l'exaltation et le courage de ceux qui sont décidés à mourir pour la liberté. Dès que les hautbois font résonner des airs intrépides, les

fantassins se dirigent au pas de course vers l'armée éclatante d'or.

Les Perses, devant cette attaque surprise, reforment précipitamment leurs rangs. Bientôt leurs cavaliers galopent dans la plaine, et leurs archers lancent les flèches qui tuent de loin. Pourtant les fantassins athéniens, ne craignant ni les chevaux ni les tiges acérées qui sifflent autour d'eux, continuent, en rangs serrés, à courir vers le rivage.

Alors commence une sombre mêlée. Timoklès, qui ne supporte pas de rester un témoin inactif,

saisit une épée et se précipite au milieu du combat. Il pousse, tel le dieu Pan, de grands cris effrayants. Les Grecs, transportés par une ardente fureur, pourfendent leurs ennemis en accomplissant maintes prouesses remarquables. Les soldats du Grand Roi sont stupéfaits d'être ainsi chargés au pas de course. Habitués à semer l'épouvante partout sur leur passage, ils sont plus stupéfiés encore par la bravoure de leurs ennemis.

Pendant plusieurs heures, la bataille fait rage. Au centre, les cavaliers tiennent bien le choc des fantassins grecs. Mais sur les deux ailes, les Athéniens prennent l'avantage. Puis ils se regroupent pour lutter ensemble contre le centre de l'armée perse. La panique se répand chez l'adversaire. Les soldats du Grand Roi cherchent à s'enfuir et, dans le plus grand désordre, s'échappent vers les trières qui sont encore près du rivage. Mais les Athéniens les pourchassent en poussant des cris de victoire. Certains apportent des cassolettes pleines d'huile pour incendier les navires. D'autres massacrent sans pitié les soldats qui ne peuvent s'échapper. Lorsque, à la tombée du jour, les dernières trières s'éloignent à l'horizon, six mille soldats perses gisent sur le champ de bataille. Pour la première fois, l'armée invincible a connu une défaite.

Le soir, on ramasse pieusement les cadavres des deux cents Athéniens tués pendant la bataille. Puis on ramasse aussi les boucliers d'or et d'argent, les lances scintillantes, les bracelets, les colliers, les harnais décorés de pierres précieuses, qui ont été abandonnés sur le sol. Ces somptueuses dépouilles des ennemis sont alors rassemblées en faisceau pour dresser un trophée. Tout autour, les soldats se regroupent en cercle et entonnent gravement le péan de la victoire. Et dans la sombre plaine où étincellent les armes et les bijoux perses, le noble chant du triomphe et l'odeur des chèvres sacrifiées montent en reconnaissance vers les dieux.

*
* *

Quelques mois plus tard, Timoklès comprend enfin l'énigme de la Pythie.

À Delphes, les Athéniens sont arrivés en grand nombre. Il y a tous les stratèges et les prytanes de la ville, suivis par beaucoup de citoyens, d'éphèbes, de métèques. En longue procession, ils se dirigent vers le sanctuaire d'Apollon.

C'est le printemps. Les cyclamens roses et les anémones mauves jettent des taches de couleur dans les prairies verdoyantes. Les montagnes du Parnasse emplissent d'ombre la vallée. Au fond, on aperçoit le bleu profond de la baie de Cirrha.

Les citoyens d'Athènes sont venus remercier le dieu pour la victoire de Marathon. Au sanctuaire le plus prestigieux de Grèce, ils vont présenter une offrande magnifique. Une offrande qui rappelle, aux peuples des temps futurs, la victoire des hommes libres sur l'invincible roi des Perses.

Timoklès, impatient, quitte Kallias pour se

précipiter à la tête du cortège, juste derrière les
stratèges et les prytanes. Au premier tournant de
la voie sacrée, son cœur se serre d'émotion.

Devant lui, au milieu du monde, là où se sont
croisés les deux aigles de Zeus, se dresse le trésor des Athéniens. C'est un petit temple de
marbre, soutenu par quatre gracieuses colonnes,
en contre-bas de la maison du dieu. À l'intérieur
étincellent les bijoux d'or, ramassés sur le champ
de bataille de Marathon. À droite, sur le mur
polygonal, sont accrochés les boucliers resplen-
dissants des vaincus.

Les Athéniens, joyeux et fiers, se bousculent autour des somptueuses offrandes. Beaucoup ironisent sur l'armée invincible. Chacun raconte, une fois de plus, ses exploits dans la plaine en croissant de lune. Les orateurs ont le plus grand mal à imposer le silence. Puis les discours succèdent aux discours.

Timoklès ne les écoute pas. Il pense à l'oracle de la Pythie.

« Combien profondes sont les pensées des dieux », songe-t-il. Tous les événements passés s'ordonnent maintenant dans son esprit en une suite cohérente et inéluctable : le naufrage dans les flots déchaînés, son évasion de Samos, la colère de Darius contre les Athéniens, la découverte de la flotte perse, la panique de Marathon sans laquelle il n'y aurait jamais eu de trésor des Athéniens. Tout ce long et difficile voyage était nécessaire pour qu'aujourd'hui se réalise enfin l'oracle du dieu. C'est parce qu'elle savait tout cela à l'avance qu'Athéna est venue à son secours. Combien profondes sont les pensées des dieux. D'un seul regard, ils embrassent le temps. Depuis toujours, ils ont décidé ce qui paraît arriver par une succession de hasards imprévus. Puis, songeant avec fierté que sa vie a fait partie des plans

organisés sur l'Olympe, il conclut joyeusement :
« Je suis un favori des dieux. »

Le silence, qui se fait autour de lui, le détourne de ses réconfortantes méditations. Tous regardent, sur la droite, la Rose et la Flamboyante, les deux falaises qui dominent le temple. Deux aigles se tiennent à leurs sommets et suivent la cérémonie. Puis, déployant leurs larges ailes ils se dirigent vers le sanctuaire. Les oiseaux de Zeus font glisser leurs ombres divines sur le trésor des Athéniens, et chacun comprend que le père des dieux partage l'allégresse de ce triomphe de la liberté.

Épilogue

On raconte, sur l'Agora, qu'un esclave venu d'un pays très lointain a apporté au quartier du Céramique la dépouille d'un lièvre. À l'intérieur de son ventre, vidé et recousu, était caché un message sur lequel est écrit : « Je n'ai pas trouvé l'Océan. Je suis en Sicile, où j'essaie d'instaurer une démocratie. Si grande est la puissance de Zeus qu'un jour toutes les cités seront gouvernées par des lois. Oloros, fils d'Oloros, du dème du Céramique. »

On dit aussi que Kallias, depuis qu'il a reçu le

statut de citoyen d'Athènes, monte, dès le premier chant du coq, sur la colline de la Pnyx. Et que seul, debout, dans la tribune aux harangues, il déclame devant une Assemblée encore vide. On dit que, même mort, il déclamerait encore.

À l'heure où la chaleur fait bourdonner les abeilles et craqueter les cigales, on chante la gloire et la beauté de Timoklès, vainqueur à Olympie. Les histoires les plus folles courent sur l'éphèbe aux yeux d'émeraude. Les uns prétendent que son principal rival aux Jeux olympiques, un athlète de Sparte l'orgueilleuse, a voulu le tuer avec un poignard dans une plaine du Péloponnèse. D'autres relatent, avec plus d'extravagance encore, que vêtu d'une peau d'ours, il a assassiné un tyran dans une île de la mer Égée, et que, dans le palais étincelant d'or de Suse, il a refusé de se prosterner devant le Grand Roi. Certains murmurent même, les yeux jaloux et la voix envieuse, que parfois, seul, le soir, il se rend à Corinthe pour voir une magicienne.

Quand l'ombre des platanes apporte la douceur du soir, et qu'on entend chanter gaiement le bruit des fontaines, les hommes qui jouent aux dés répètent une rumeur plus étrange encore. Ils disent que quelquefois, en sortant des banquets, on peut voir courir, entre les monts de l'Hymette et la cité, la silhouette blanche d'une jeune fille qui ressemble à une déesse. Elle a les pieds légers comme le vent, assurent-ils, et ses boucles noires brillent dans les rayons de lune. Mais personne ne veut croire aux fables d'hommes à moitié ivres qui ont joué longtemps au jeu du cottabe.

Odile Weulersse, née à Neuilly-sur-Seine, est à vingt ans diplômée de l'Institut des Sciences politiques, puis agrégée de philosophie en 1969. D'autres intérêts encore la sollicitent : à l'université de Paris IV Sorbonne où elle devient maître de conférences, elle enseigne sur le cinéma et écrit des scénarios pour la télévision. Enfin, quand elle se fait romancière pour conter aux enfants des aventures du passé, c'est sur une documentation sans faille qu'elle bâtit son récit, plein de vie, évocateur comme un film.

Table

Cartes   6-7
Introduction   7
1. Un combat déloyal   9
2. Oloros   33
3. Le philtre de l'oubli   63
4. L'oracle de la Pythie   83
5. Un départ clandestin   103
6. Le marché aux esclaves   125
7. L'as de la parole exerce ses talents   145
8. La chasse du tyran de Samos   161
9. Chrysilla se prend pour une déesse   177
10. L'Œil du Roi   199
11. Retrouvailles attendues et inatten-
dues   223
12. L'Agora est en effervescence   243
13. Le trésor des Athéniens   261
Épilogue   283

Composition JOUVE - 53100 Mayenne
N° 293650z
Imprimé en Italie par G. Canale & C. S.p.A. - Borgaro T.se (Turin)
Mai 2002 - Dépôt éditeur n° 23715
32.10.1885.6/03 - ISBN : 2.01.321885.0
Loi n° 49-956 du 16 juillet 1949 sur les publications destinées à la jeunesse.
Dépôt légal : mai 2002